André Mamma

Les critiques
de notre temps
et
CÉLINE

Éditions **Garnier** Frères
19, rue des Plantes, Paris

Couverture : atelier Pierre Faucheux
Photo : Céline vers 1934
Cliché *(les Cahiers de l'Herne)*

Les Critiques
de notre temps
et
CÉLINE

présentation par

Jean-Pierre Dauphin

Pierre Audiat
Georges Bataille
Yves Bertherat
Jean-Louis Bory
Paul Bourniquel
Robert Brasillach
Gabriel Brunet
René Chabbert
Léon Daudet
Yanette Delétang-Tardif
Robert Denoël
Pierre Drieu La Rochelle
Henri Guillemin
Jacques Guyaux
Émile Henriot
René Lalou
Pierre Langers
J. M. G. Le Clézio

Jacques de Lesdain
Renaud Matignon
Jean-Pierre Maxence
Maurice Nadeau
Roger Nimier
Paul Nizan
François Nourissier
Pascal Pia
Robert Poulet
Jean Prévost
Jean-Guy Rens
André Rousseaux
Pierre Scize
Gonzague Truc
Pierre-Aimé Touchard
René Trintzius
Jacques Valmont
René Vincent
Georges Zérapha

INTRODUCTION

De méprises en confusions

Contrairement à l'impression générale, l'œuvre de Louis-Ferdinand Céline demeure assez mal connue dans son ensemble comme dans sa distribution. Les a priori de la critique, certains choix de l'écrivain et des censures ultérieures sont responsables de la dislocation d'une œuvre profondément cohérente dans l'ordre de ses phases successives et dans l'évolution de sa facture.

Céline a assumé trente années d'évolution, sans doute avec des fortunes diverses, mais sur un instrument qui demeure unique. Par manque d'information ou par simple préjugé, les critiques ont jusqu'ici complètement ignoré la participation de Céline à la vie littéraire de son époque. La grande majorité d'entre eux s'en tient aux clichés du « solitaire » que Céline a lui-même fixés. Mais une quinzaine de petits écrits (ballets, préfaces, textes de circonstance...), une autre quinzaine de réponses à des enquêtes, près de cinquante interviews et autant de réponses à la presse attestent la présence plus ou moins polémique, mais toujours vigilante, de cet écrivain d'humeur.

Une telle œuvre ne pouvait passer inaperçue[1]. Pourtant, à ne lire que la critique depuis 1961 et plus parti-

1. A quoi on ajoutera une très importante correspondance dont plus de 700 lettres sont attestées par une publication fragmentaire, fautive ou censurée. Voir pp. [171]-81, « Relevé provisoire des correspondants de L.-F. Céline », *in L.-F. Céline* 1 : Paris, Lettres Modernes, 1974.

culièrement la trentaine d'ouvrages ou de thèses qui lui ont été consacrés, Céline n'est jamais considéré que dans l'absolu, en dehors de toute référence à son passé critique. Journalistes et universitaires paraissent l'observer de leur seul point de vue, évitant toute situation historique et, par là, la possibilité d'une appréciation enfin synthétique. Cette négligence n'a pas permis de rectifier des méprises qui, Céline y aidant lui-même, ont tourné à la confusion.

Le dossier de presse de *Voyage au bout de la nuit* présente dans ses grandes lignes les réactions les plus caractéristiques et les plus permanentes de ce que, trente ans durant, Céline provoquera [1]. Près d'un demi-millier d'articles, de notices, de petits papiers et de commentaires multiformes attestent cette « étonnante » nouveauté. Reconnus ou refusés, la force du livre, son contenu satirique, la négation qu'il exprime sont pris en considération. Mais le débat littéraire se trouve du même coup dépassé au profit d'un procès de moralité.

Cette ouverture contradictoire s'est vu confirmer l'année suivante avec la publication de *L'Église,* mais les jugements sont sensiblement atténués, comme amortis sous bénéfice d'inventaire. Dans le meilleur des cas, le retour théâtral de Bardamu paraît avoir plus séduit que convaincu. L'éventail critique ne se simplifiera vraiment qu'à l'occasion de *Mort à crédit* (1936), quoique le tollé n'ait pas été aussi général que Céline l'a dit. A cette nouveauté choquante on opposera la mesure et la pondération de *Voyage au bout de la nuit,* sans observer que *Mort à crédit* en exploite les initiatives, qu'il accuse leur tranchant, renouvelle leur agressivité. A quelques exceptions près, et qui pourraient déjà n'être pas dépourvues d'arrière-pensées politiques, la coupure est désormais opérée entre

1. Voir aussi, par titre ou par période, les notices des pp. 13, 33, 45, 63, 95, 114, 136, 144, 159.

Céline et des critiques qui, par la louange ou l'éreinte-ment, s'efforcent de n'être ni dépassés ni dupés.

Coup de sonde avisé ou témoignage spontané, per-sonne ne revendiquera *Mea culpa* sept mois plus tard. Même les plus conservateurs feront la sourde oreille. Pour les autres, au-delà de l'anticommunisme, c'est la confirmation de l'impossibilité dans laquelle se trouve Céline de demeurer dans les limites de la seule littérature. *Bagatelles pour un massacre,* dès 1937, leur donneront apparemment raison. Mis à part le lot maintenant convenu des réactions violentes, une tolérance assez générale a grandement contribué à la minimisation de l'ouvrage [1]. Après une prudente désolidarisation ou condamnation de l'antisémitisme, la plupart des critiques se sont le plus souvent empêtrés entre l'admiration et la bonne conscience. La seule objectivité exigeait de ne pas dissocier la réalité politique et humaine du pamphlet, fût-elle gênante, de son esthétique.

Si le succès de scandale continue, l'effet de surprise est passé lorsque paraît *L'École des cadavres* (1938). Le glis-sement politique qui l'accompagne ne fait qu'accentuer l'isolement de Céline. L'incompréhension suivra de peu en ne voyant dans *Les Beaux draps* (1941) qu'une contri-bution à la littérature sur la défaite de 1940. L'inconsis-tance du dossier de presse, jusque dans les feuilles colla-borationnistes, en fait foi.

Reconnu comme prophète politique, comme romancier inspiré ou comme libérateur des Lettres, Céline bénéficie durant l'Occupation d'une réputation assez peu franche. De 1941 à 1944, la situation se prête évidemment aux repentirs politico-littéraires [2] ou à des essais de synthèse qui font de cet écrivain-vedette un étalon. Souvent fuyant, toujours prudent, Céline a contribué lui-même à main-

---

1. L'exemple-type est l'interprétation de Gide (*La N.R.F.* du 1er avril 1938) qui ne fait que reproduire une opinion couramment exprimée dès la sortie du livre.

2. Comparer, ci-dessous, l'évolution de R. Vincent (pp. 80, 105) ou le revirement de R. Brasillach (pp. 67, 100).

tenir une certaine ambiguïté idéologique. Dans tous les cas, son œuvre n'aura rien gagné à une réappréciation qui la lie à un milieu, à une mentalité, à une optique. Aussi, prise entre une évolution esthétique qui la heurte ou la scandalise et une admiration plus ou moins intéressée, la critique démissionne-t-elle devant *Guignol's band,* 1 (1944). Dithyrambique, elle se montre incapable de prendre ce troisième roman pour ce qu'il est.

A la Libération, l'hostilité, puis le silence, dont Céline est l'objet prolongeront ce phénomène qui tend à isoler *Voyage au bout de la nuit* et *Mort à crédit.* Après 1952, le sauvetage s'accentue au point de les qualifier de « classiques ». Mais, dans le même temps, *Féerie pour une autre fois* (1952 et 1954) n'aura aucune audience. Cette nouvelle manière est délibérément rejetée et jugée, par les moins mal informés, comme le produit de la décomposition annoncée par les pamphlets. Céline ne sera pas mieux entendu dans *Entretiens avec le Professeur Y* (1955) où il explicitera sa poétique [1]. La fortune du romancier se trouve ainsi consignée dans un passé dont il n'est pas possible de nier l'importance ou, plus prudemment, dans un futur hypothétique.

Ce sont le contenu historique et l'allure de chronique qui paraissent avoir acquis le succès à *D'un château l'autre* (1957). Les critères d'appréciation littéraires, eux, ont peu joué ou dans des conditions de médiocrité analogues à celles de *Bagatelles pour un massacre.* Peu de critiques se sont avisés de ce que cette orientation historique n'était que l'aboutissement tant logique que formel d'une œuvre ouverte par *Semmelweis* et *Voyage au bout de la nuit.* L'image d'un Céline brisé et misérable, privé de repentir mais frappé par une justice immanente, a même pu passer pour une catharsis. Le mythe de l'écrivain maudit

---

1. Déjà esquissés dans quelques écrits très connus (« Qu'on s'explique... », *Bagatelles pour un massacre,* la préface de *Guignol's band,* 1), mais aussi au fil d'interviews, de déclarations ou de correspondances moins diffusées. Il y a là la matière d'un *corpus* célinien d'un réel intérêt documentaire. Voir, *infra,* Bibliographie II, C, sous le n° 41.

s'en est, de toute façon, trouvé fortifié. *Nord* (1960) verra cette attitude consacrée par le satisfecit rapide et peu coûteux d'une critique mitigée ou évasive qui fait la preuve, une nouvelle fois, de son inadaptation à l'objet qu'elle censure ou qu'elle loue.

Vraisemblablement par manque de contenu polémique, *Ballets sans musique, sans personne, sans rien* (1959) avaient peu retenu l'attention. Le décès même de Céline, le 1ᵉʳ juillet 1961, ne réveillera pas les passions et montrera combien il y a loin de la nécrologie prudente à la volonté de compréhension. Paresseuse ou désinvolte, la lecture de *Guignol's band,* 2 (1964) crée une nouvelle cassure en ne saisissant pas — tout inachevé qu'il est — l'importance de ce livre intermédiaire dans l'évolution de la création célinienne. L'accueil de *Rigodon*, tardivement publié (1969), ne sera pas meilleur. Il faudra sans doute encore attendre pour que la trilogie finale apparaisse comme le nécessaire accomplissement de l'œuvre.

Ces quarante années de critique célinienne offrent un tableau très sûr des limites, des aberrations et de la misère d'une époque. A ce titre encore, Céline est un bon révélateur. En s'en tenant aux éléments les plus saillants, il a paru possible de suggérer l'itinéraire et les caractéristiques de cet accueil. Tout autant que les visages immédiatement contradictoires de Céline, l'image ponctuelle de la critique et le schéma de son évolution sont un objet de réflexion assez neuf pour remettre en cause quelques-uns de nos préjugés les plus tenaces.

Une telle orientation, pour être significative, exigeait des choix qui permettent de créer une sorte de proportion statistique passable. En l'absence quasi totale d'études organisées [1], le dossier de presse apparaissait comme

1. Monographies, essais, mémoires et thèses sont presque tous postérieurs au décès de Céline. Leur multiplication reste un phénomène récent et leur propos est trop particularisé pour que l'on puisse les considérer, sans déséquilibre, sur le même plan qu'une critique d'abord synchronique.

l'instrument le plus sûr. Il s'est ordonné chronologiquement et par titres afin de préserver un minimum de cohérence et de qualité. Quels qu'en soient les excès, un petit nombre de ces réactions à chaud demeurent encore aujourd'hui exemplaires. Du fatras de quelque huit mille références internationales, il a fallu réduire le choix à un dossier de presse d'expression française. Seul, en limitant les redites ou les différés, il présentait suffisamment de continuité. Et encore a-t-on dû écheniller certains textes de citations abusives, de rappels ou de digressions qui gênaient leurs propres perspectives ou, d'un article à l'autre, alourdissaient celles de l'ensemble[1]. Enfin, cet esprit de redécouverte de textes peu connus imposait de ne pas reprendre, après les avoir signalés[2], ceux déjà exhumés par *Les Cahiers de l'Herne* et par Jean-A. Ducourneau.

JEAN-PIERRE DAUPHIN.
Août 1973.

1. C'est le même usage anthologique de la présente collection qui a entraîné la réfection, entre crochets, de la quasi-totalité des titres.
2. Voir pp. 194-5.

I. UNE CONTROVERSE PASSIONNÉE

1932. Publié à deux mille exemplaires au début octobre, *Voyage au bout de la nuit* passe à peu près inaperçu dans une rentrée littéraire pourtant sans grand relief. Ce n'est qu'à la veille du prix Goncourt, et après le soutien officiel de Léon Daudet et de Lucien Descaves, qu'il fait figure de lauréat possible.

Son échec avec trois voix, la consolation du prix Renaudot et des polémiques sans grandeur lui obtiennent un succès de scandale. Mais il faut noter que cette querelle du Goncourt, au-delà du livre, a été l'occasion d'un règlement de compte entre la critique et certains académiciens suspectés d'immobilisme et de simonie.

En quelques semaines, d'interviews en échos, le mythe de Céline va bon train et le roman élargit son audience commerciale et critique. De la grande presse aux feuilles politiques, la demi-teinte a peu cours et les anathèmes — comme les récupérations hâtives — sont fréquents. En dépassant l'apparent dispersement des « coups de foudre » et des humeurs, on peut déjà schématiser les contradictions essentielles de la critique célinienne.

André Rousseaux

[*Un suicide manqué*]

Quoique le *Voyage au bout de la nuit* de M. Louis-Ferdinand Céline n'ait pas eu le prix Goncourt — que tout le monde lui attribuait à l'avance — il passionne l'opinion littéraire plus qu'aucun livre n'avait fait depuis longtemps. On prend violemment parti pour ou contre lui. Pour les uns, ce livre est une ordure; pour les autres, une œuvre

André Rousseaux, « Le Cas Céline », in Figaro [Paris], 10 décembre 1932. © *Figaro*.

de génie. Laissons le génie en repos; il est toujours impru-
dent de le mettre trop vite en mouvement. D'ailleurs, il
ne nous appartient pas de faire ici la critique du roman
de M. Céline. Mais, qu'un livre, qui a tant pour rebuter
d'abord, finisse par conquérir si puissamment certains
lecteurs, voilà qui mérite d'être éclairci. Il y a, si l'on veut,
un « cas Céline ». C'est lui que nous voulons examiner.

Je ne crois pas que le *Voyage au bout de la nuit* ait pu
s'imposer à personne, si ce n'est à quelques naturalistes invé-
térés, en tant qu'œuvre d'art. Je le dis tranquillement, au
milieu des risées des « célinophiles », que j'entends déjà
fuser. Parbleu non, qu'ils disent — pour parler comme
leur auteur — ce n'est pas une œuvre d'art. Ce qu'il y a
de magnifique, dans cette œuvre, c'est que ce n'est pas
de la littérature.

Pardon. Un livre est un livre. Ce n'est ni une cuvette
ni un parapluie. Un homme qui écrit un livre (j'entends un
roman, un essai, un poème, non un livre d'algèbre ou de
médecine) fait forcément de la littérature. Et j'aime mieux
qu'il en fasse consciemment. Il est trop commode, sous
prétexte de naturel, de dire qu'on n'est pas un artiste.
Ce naturel-là est une sorte de mensonge : tout homme
est, plus ou moins, un artiste latent, et du moment qu'il
écrit un livre, c'est un artiste qui se manifeste. Qu'il
croie devoir, pour faire plus vrai, transcrire le langage
fruste ou incorrect des paysans ou des ouvriers, ce n'est
pas une question de naturel, c'est une question d'art.
Qu'on n'objecte pas qu'il s'agit d'être avant tout fidèle
à la vie. La vie ne s'oppose pas à l'art, qui en est l'expression — ou plutôt elle ne s'oppose à lui que si l'on est tombé
dans un état de barbarie qui méconnaît la puissance active
de l'artiste, c'est-à-dire de la personne humaine considérée
dans sa souveraineté individuelle, et qui abolit cette puissance et cette souveraineté dans je ne sais quelles forces
vitales éparses à travers le monde, génératrices d'un art
grégaire. Mais cela est une imposture : le monde, le
monde humain comme le monde naturel, ne produit rien

en fait d'art que ce que l'homme — un homme — en exprime. Le livre de M. Céline, pour revenir à lui, n'est pas plus la voix de la banlieue parisienne, que les livres de M. Giono, pour prendre un autre exemple, ne sont la voix des paysans bas-alpins. C'est une formule littéraire comme une autre. C'est une tentative d'art nouveau, après bien d'autres. Pour moi, je crois cette formule caduque autant que misérable. Et j'ajoute que ce n'est sûrement pas elle — car l'expérience du naturalisme aura au moins servi à cela — qui donne sa valeur au livre de M. Céline, aux yeux de nos contemporains.

Cette valeur tient à ce que ce livre affreux a de plus affreux, à son nihilisme total, à une anarchie qui ne laisse rien subsister de l'espoir d'ordre qui est le but de toute vie d'homme, au-dedans de lui plus encore qu'en dehors.

Nous avons eu l'occasion de dire, déjà, que l'homme de notre temps a perdu l'intelligence de sa vie et de sa mort, qu'il ne saurait, le plus souvent, répondre à ces questions : « Que faisons-nous ici-bas, et où allons-nous ? » Mais ces questions, il évite de se les poser dans leur terrible nudité. Ou bien il s'évade dans des divertissements. Ou bien il s'efforce de parer, par un culte aveugle de la vie, au sentiment qu'il a d'une faillite de l'humanité. M. Céline, lui, éprouve ce sentiment plus violemment que personne, et il l'exprime comme personne n'a osé le faire — à l'exception cependant des dadaïstes et des surréalistes. C'est ce qui fait qu'il est accueilli avec une sorte d'extase par tant d'hommes qui voient justement dans son livre l'expression la plus terrible et la plus cynique du désarroi dans lequel la société humaine est tombée. Ce qui doit les émouvoir le plus — plus que les invectives à l'armée, aux riches, à la société capitaliste, invectives qui relèvent en somme de l'anarchie banale — c'est la peinture faite par M. Céline de l'anarchie intérieure, qui montre le composé humain détruit par le dedans autant qu'il est atteint par l'extérieur [...] On déforme aussi bien l'homme à le simplifier arbitrairement par en bas qu'à l'embellir de façon factice.

La vraie beauté de l'homme, c'est sa complexité, toujours troublante, jamais résolue, mais consciente de son mystère. C'est pourquoi, dans l'examen du « cas Céline », il faut noter parmi les meilleures raisons que le *Voyage au bout de la nuit* ait d'émouvoir un honnête homme, certains autres passages, notamment un que voici, et qui semble d'autant plus beau que c'est peut-être la seule page, dans ce sombre livre, où paraisse le lumineux visage de l'amour. Le héros du roman quitte une femme qu'il a aimée. « Je l'ai embrassée Molly, dit-il, avec tout ce que j'avais encore de courage dans la carcasse. J'avais de la peine, de la vraie, pour une fois, pour tout le monde, pour moi, pour elle, pour tous les hommes. » Et il ajoute ceci, qui a le son d'une grande et profonde vérité :

C'est peut-être ça qu'on cherche à travers la vie, rien que cela, le plus grand chagrin possible pour devenir soi-même avant de mourir.

C'est vrai : souffrir par amour, c'est ce qui fait la noblesse d'une vie humaine, c'est ce qui lui donne une valeur unique. Mais il faut bien voir que ce privilège a tous les caractères d'un privilège, qu'il n'est pas répandu parmi les hommes comme la capacité de boire et de manger, que c'est au contraire l'égoïsme qui est naturel à l'homme, comme à tout animal, tandis que l'amour, s'il s'agit de le faire passer du domaine de l'instinct (où il est une sorte d'égoïsme qui s'ignore) sur le plan de la vertu, c'est un effort exceptionnel, c'est un mérite singulier. Alors commence la beauté de la souffrance. Toutes choses que les révolutionnaires ignorent ou oublient, quand ils caressent le rêve d'un amour qui serait universellement répandu dans une humanité paradisiaque.

Leur imagination comble l'homme de vertu comme elle le comble de richesse. Mais, dans le même temps qu'elle se livre à ces générosités naïves et fallacieuses, sa méconnaissance de l'élément exceptionnel qui fait de l'homme un héros dans l'univers se retourne contre l'humanité qu'elle prétend chérir. La révolution qui se targue de changer l'homme ne peut pas le gratifier, par la force de son désir, d'un don naturel qu'il ne possède pas; mais, en s'attachant à cette seule nature, elle arrive, quand les illusions dont elle l'a ornée s'en sont allées, à la voir beaucoup plus misérable que ne la voient les esprits qui ont placé plus justement, du côté de la conscience, les possibilités de la noblesse humaine.

C'est alors la déchéance complète, dont le livre de M. Céline est finalement le tableau le plus navrant qu'on ait produit. On pourrait citer cent traits de ce tableau (ou plutôt on ne pourrait pas les citer, du moment que l'on garde quelque respect pour le composé humain que le pessimisme excessif de M. Céline abolit). Nous n'en retiendrons qu'un seul, et encore nous faudra-t-il expurger la citation. M. Céline s'arrête un moment devant un autre des privilèges de la créature humaine : la parole. Et voici ses réflexions :

Quand on s'arrête à la façon dont sont formés et proférés les mots, elles ne résistent guère nos phrases au désastre de leur décor baveux... Cette corolle de chair bouffie, la bouche, qui se convulse à siffler, aspire et se démène, pousse toutes espèces de sons visqueux à travers le barrage puant de la carie dentaire, quelle punition ! Voilà pourtant ce qu'on nous adjure de transporter en idéal. C'est difficile. Puisque nous sommes que des enclos de tripes tièdes et quasi pourries nous aurons toujours du mal avec le sentiment.

Ne nous indignons pas. N'attachons pas plus d'importance qu'elle ne le mérite à une vision de l'être humain qui a probablement pour défaut d'être celle d'un carabin jeté dans les horreurs de la vie médicale avec une formation générale insuffisante. Ce qui me paraît à retenir ici, c'est que l'anarchie poussée jusqu'au bout n'omet pas de découronner l'homme de tous ses honneurs. Sur l'art, sur l'amour, on peut discuter, on peut noyer l'erreur dans l'illusion, quand une civilisation est aussi tourneboulée que la nôtre. Mais la parole, cette manifestation concrète de la mémoire, cet élément préliminaire à toute science et à tout art, cela pouvait sembler un des caractères les plus visibles de l'être humain, un de ceux dont il est le plus difficile de le priver. C'est peut-être ce qui reste de plus sûr à l'homme quand il est tombé dans de grandes incertitudes à l'égard de lui-même. Un révolutionnaire de qualité dans la littérature contemporaine, M. Georges Duhamel, nous montre à quel point la parole peut rendre à l'homme le sens de sa destinée, quand, du sein de l'anarchie où s'ouvrait sa carrière, il y a vingt-cinq ans, il a lancé vers le verbe ce salutaire appel :

> Mes mots, mes mots! pleins et nourris.
> Je vous ai pris aux lèvres de quiconque parle
> Et vous aime, ô le meilleur bien de mon pays.

En face de ce cri, la page quasi blasphématoire de M. Céline sur la parole humaine est une de celles qui donnent à son livre son véritable aspect : celui de suicide manqué. Il est vain de parler d'art à ce sujet comme nous l'avons fait en commençant, vain même de parler de vie autre qu'organique et cellulaire. Mais nous avions raison, par contre, d'évoquer au sujet de ce livre le souvenir de Dada. (Les surréalistes sont d'ailleurs les lecteurs les plus réjouis du *Voyage au bout de la nuit*.) Le fond de l'anarchie est toujours le même, et le mépris de la parole intelligible est un effet de la dislocation de l'être humain poussée à son extrémité. Céline rejoint logiquement Dada.

Il reste à se demander si l'homme ainsi détruit garde quelque intérêt. Celui que le poète appelait un dieu tombé qui se souvient des cieux n'est plus qu'un assemblage de matière engagé dans un circuit de vie organique, entre la génération et la pourriture. Et le bonheur d'un tel homme serait que ce circuit ne fût pas habité par une âme.

Tout notre malheur, dit encore M. Céline, vient de ce qu'il nous faut demeurer Jean, Pierre ou Gaston coûte que coûte pendant toutes sortes d'années. Ce corps à nous, travesti de molécules agitées et banales, tout le temps se révolte contre cette farce atroce de durer. Elles veulent aller se perdre nos molécules, au plus vite, parmi l'univers, ces mignonnes! Elles souffrent d'être seulement nous, cocus d'infini.

Arrêtons-nous sur ces deux derniers mots. Il n'y en a pas, dans les six cents pages de ce livre horrible, qui montrent mieux ce qu'il représente : un moment abominable de la détresse humaine.

René Trintzius
[*L'homme malade de civilisation*]

Qu'on le veuille ou non, nous sommes arrivés à une période qu'on pourrait appeler *d'académisme du roman*. Les recettes sont connues, étiquetées, classées. Tout le monde, avec un peu d'ingéniosité peut écrire un roman possible. Si l'intelligence se joint à l'ingéniosité, nous avons alors ce que les critiques jugent « une œuvre remarquable » et qu'ils ont tort de tant remarquer. A travers l'évolution des arts et des lettres, le même phénomène se reproduit toujours : la critique a les yeux fixés sur la technique. Il lui est très difficile de ne pas oublier la vie pour les moyens d'expression, l'homme pour le livre.

A la vérité on compte les ouvrages où l'on sent un homme, un homme qui se livre des pieds à la tête, du cœur au corps.

Quand vous lisez le *Voyage au bout de la nuit*, dès les trente premières pages, vous savez que vous êtes en présence d'un homme. Le choc est plus que rare, inoubliable. Oh! je sais bien, parbleu, tout ce qu'on pourra dire. C'est surtout dans ses tares, ses faiblesses, son incurable maladie de vivre qu'il nous est révélé. Qu'importe!... Mais je me trompe. Il importe beaucoup que cet homme soit malade et sa maladie est la nôtre à des degrés divers.

Que l'auteur l'ait voulu ou non — et je ne crois pas qu'il l'ait voulu — son livre est le roman de l'homme malade de civilisation, chargé jusqu'à crever des iniquités

RENÉ TRINTZIUS, « L.-F. Céline — *Voyage au bout de la nuit* », *in Europe* [Paris], 15 décembre 1932. © *Europe*.

sociales, le roman de tous les pauvres types que la guerre a broyés et, après l'armistice, l'après-guerre avec ses vomissures, son chaos, sa famine, son désespoir. Le témoignage de Céline est d'autant plus important qu'il n'a rien voulu prouver de tout ça. Il souffrait, il avait parcouru sous un ciel noir des kilomètres de douleur, il nous crache son mal en pleine figure.

Oui, un crachat. Quel crachat! Un crachat de six cent vingt-trois pages avec quelques joies si minces, si vite usées et cette nausée fondamentale qui n'accuse pas tant l'état d'homme que celui d'esclave d'une société qui cumule les enfers : guerre, colonisation, boîtes à suer d'Amérique, naufrage des faubourgs dans la maladie trop chère ou la faim.

Je ne sache pas de livre où la forme soit plus inséparable du fond. Elle est essentielle ici comme dans Rabelais. Elle explose. C'est une explosion qui charrie tout : blocs énormes de chair et de peine, cris pleins d'expérience, le cœur qui s'abandonne en brisant la syntaxe et la subtilité contemporaine par-dessus le marché qui revient sur le tout quand on n'y pense pas, quand on n'y pense plus, comme un tic affreux.

Je crois bien qu'à quatre siècles de distance, c'est une sorte de Rabelais qui vient de pousser là, sous nos yeux ébahis, dans le jardin des lettres françaises « si bien entretenu ». Il y a encore des hommes dans cette Europe de 1932. En voici un. On respire. Mais comme ils l'ont mis à mal le pauvre. Le Dr Alcofribas partait au matin de la vie. Il gueulait son énorme joie. L'écho en était si fort qu'on l'entend encore. Mais l'écho nous empêchait de deviner que l'homme marchait en silence. A peine s'il murmurait entre ses dents la chanson des Suisses :

> Notre vie est un voyage
> Dans l'Hiver et dans la nuit,
> Nous cherchons notre passage
> Dans le ciel où rien ne luit.

Et le voilà au terme de son voyage. S'il a presque perdu la fraîcheur de son génie, il vit toujours avec la même puissance que la souffrance n'a pu réduire, mais quel désastre que sa pauvre guenille de corps, son pauvre viscère de cœur!

Quand on a des choses si importantes à révéler, « la langue de Voltaire » ne suffit plus. Le Dr Céline cherche la langue du Dr Céline ou plutôt non, il ne la cherche pas. Du fond du peuple un torrent boueux monte à son secours. Tous les mots plus vrais que la vie laissés pour compte par les stylistes — qui n'ont jamais su ce qu'était le style — et qu'on avait respectueusement enterrés, toutes les tournures où le peuple a jeté sa joie ou son agonie, le tout mêlé de grammaire et de correction et de lettres quand il le faut, car en définitive, pourquoi ces grandes dames ne rendraient-elles pas quelques humbles services?

Je me demande quel châtiment attend le Dr Céline pour avoir accompli tous ces crimes. Il n'est pas de Joachim du Bellay pour le mener voir le pape Clément VII.

On ne lui accordera aucune absolution. La démocratie bourgeoise a supprimé les libertés d'exception dont jouissaient la pensée et les actes de la pensée.

A moins que quelque prébende n'essaie de le faire taire, mais le *Voyage au bout de la nuit* est un livre qui ne se taira plus.

Léon Daudet
[*Voici un livre étonnant*]

Voici un livre étonnant, appartenant beaucoup plus, par sa facture, sa liberté, sa hardiesse truculente, au XVIe siècle qu'au XXe, que d'aucuns trouveront révoltant, insoutenable, atroce, qui en enthousiasmera d'autres et qui, sous le débraillé apparent du style, cache une connais-

Léon Daudet, « L.-F. Céline : *Voyage au bout de la nuit* », *in Candide* [Paris], 22 décembre 1932.

sance approfondie de la langue française, dans sa branche mâle et débridée. A vrai dire, il y avait fort longtemps qu'on n'avait entendu retentir pareils accents, nos lettres, sinon nos auteurs étant, depuis quelque trente ans, pas mal édulcorées et féminisées. La vogue inouïe de Marcel Proust avait incliné vers l'introspection et l'autoanalyse — dérivation du « culte du moi » barrésien — un très grand nombre de ceux qui tiennent une plume en France, Angleterre, Italie et Allemagne. Or, cette façon de se placer devant le miroir et de s'observer longuement est plus « femme » que mâle. Proust, avec toute sa puissance, que j'ai célébrée un des premiers, c'est aussi un recueil de toutes les observations et médisances salonnières dans une société en décomposition. Il est le Balzac du papotage. De là une certaine fatigue dont M. Céline (pseudonyme du Dr Destouches) va libérer sa génération. [...]

Le titre du livre, *Voyage au bout de la nuit,* vous indique de quoi il retourne : la nuit, c'est le bas-fond de l'être humain, ce marais des instincts troubles, où barbotent, autour de la peur, viscosité centrale, les grenouilles, têtards et serpents d'eau de la basse concupiscence, de l'envie, de la cupidité, du vol et, finalement du meurtre. Il y a, chez Rabelais, un personnage de cette sorte de voyage, ou de traversée : c'est Panurge, le couard, le vantard, le crapuleux, le truffeur, qui va de l'un à l'autre, crève de peur pendant la tempête, devient insolent à l'éclaircie, que tous bousculent, mais qui fait rire tout le monde par ses saillies ordurières et son cynisme. Le Bardamu du *Voyage au bout de la nuit* est incontestablement un fils de Panurge, soit dans la guerre, où, froussard chronique, godailleur, blasphémateur et foireux, il arbore un vocabulaire héroïque et prend des attitudes magnanimes, soit dans la paix et le gain difficile du pain quotidien, de la « croûte » et. de la barbaque. Ce Bardamu est une fiction tirée du réel, qui n'a point d'autre rapport avec l'auteur, M. Céline-Destouches, que l'imagination de celui-ci. Les assimiler l'un à l'autre, comme le font quelques critiques imbéciles, c'est assimiler Shakespeare à Falstaff, c'est le rendre responsable du crime de Macbeth, c'est accuser Sophocle d'inceste à cause d'*Œdipe-Roi,* c'est identifier Molière à Tartufe. Une telle façon de voir et de juger limiterait vite la littérature française à des ouvrages de patronage et de sucrerie plus ou moins épicés, qui obtiennent des prix et mentions académiques, sans laisser ici-bas aucune trace autre que la bave argentée du colimaçon. Encore une fois, comme je l'ai dit, à propos de Gide, et comme je ne cesserai de le répéter, les lettres ne sont point un divertissement de jeunes filles ni de frères lais, et la vraie bibliothèque n'est pas rose. La littérature, c'est la vie fixée et non plus seulement coulante.

Le récit de la guerre, fait par un couard, ne peut être qu'une série de blasphèmes plus ou moins pittoresques, qui ont au moins l'avantage de la verdeur sur les tirades pleurardes du pacifisme. [...]

L'auteur nous prévient que les traversées et voyages de son Bardamu sont imaginaires. Or, je n'ai pas visité les États-Unis, mais j'ai bien lu, depuis dix ans, une soixantaine de volumes, graves ou badins, aimables ou féroces, les concernant [...]. Tout cela n'est que bergerie à côté de la description, hallucinatoirement véridique, de New York par le Panurge du *Voyage au bout de la nuit.* La rumeur perpendiculaire de l'immense cité aux ascenseurs innombrables, le stationnement des belles filles dans le vestibule des palaces, le coudoiement, glacé ou bruyant, des milliardaires et des crève-la-faim, des faux milliardaires et des vrais crève-la-faim, le vrombissement continu des métros, les policemen, les automobiles, la hâte pour rien, la charité mécanique, l'idéalisme standardisé, la rage antinègre, le pistolet automatique accompagnant le stylo dans la poche, la confusion babélique des langages et dialectes, la verticalité de tous les plans, le cubisme caricatural de la vie, voilà ce que nous peint ce veau tragico-bouffon de Bardamu, avec une verve jamais essoufflée. [...]

On devine, après cela, ce qu'est la peinture tropicale de la ville africaine de Fort-Gono, de la Compagnie Pordurière du petit Togo, des fonctionnaires civils et militaires qui hantent ce climat de cauchemar, et des mœurs des indigènes dans leurs huttes, périodiquement inondées, incendiées ou dévastées. La chaleur torride, la sueur et la crasse en permanence, les piqûres de tous les insectes et serpents venimeux inimaginables, les bastonnades, les conjurations, les supplices, tout cela paraîtrait bien outrancier, même dans la bouche de Bardamu, si l'on ne se rappelait les événements et massacres qui accompagnèrent l'empoisonnement de Galmot à la Guyane, l'affaire Voulet-Chanoine et les autres drames de l'implacabilité solaire. L'astre brûlant, maître de la vie, est aussi faiseur de charniers, et ses méfaits valent ses bienfaits.

N'oublions pas que, comme *Pantagruel,* ce livre est celui d'un médecin et d'un médecin de la banlieue de Paris, où passe et souffre toute la clinique de la rue, de l'atelier, du taudis, de l'usine, du ruisseau. Ceux qui n'ont pas fréquenté les hôpitaux, étudiants, surveillantes, infirmières, infirmiers, ne connaissent pas les abîmes, physiques et moraux, de la misère, de la gêne, de la prostitution, et aussi de l'honneur, de la dignité, assaillis par le manque d'argent, le froid, la gésine, le chômage, tous les malheurs, tous les désordres des gens « pauvres et nus », comme dit Baudelaire. [...] Il faut avoir mariné là-dedans, comme l'a fait le D^r « Céline » — Destouches, pour concevoir à la fois tant d'horreur, de désolation et de pitié. C'est là que l'on sent que la charité n'est autre chose que la forme divine de la compréhension, que la prière est vraisemblablement, pour certains maux, le seul remède. Ces échappées-là manquent au livre de M. Céline, alors qu'elles ne manquent pas aux pages les plus vitupérantes et vertes d'Huysmans. Mais, par l'excès même de son terrestre et de son charnel, il est plus proche du surnaturel, le D^r « Céline », qu'il ne le croit, et je l'attends à l'heure — qui sonne pour tous les écrivains d'expressivité — où explosera en lui le besoin, soif et faim, de donner un sens à la vie, laquelle n'est pas seulement, comme dit Macbeth, « un conte dit par un idiot, plein de fracas et de furie, et qui ne signifie rien ». Dans tout blasphémateur veille un moraliste, pareil au ver luisant sur l'engrais de la ferme.

Il me reste à parler du style de *Voyage au bout de la nuit*. Ce livre n'est pas écrit en argot, comme *Ceux du trimard,* le chef-d'œuvre de Marc Stéphane, que j'ai naguère analysé ici. Il est écrit en bagout parisien, langue à part, vadrouillarde en ses apparences, et savante en ses profondeurs, dont les origines se perdent au-delà de Villon et du parler de la Coquille. C'est un dialecte qui a roulé, au cours des âges, dans « les plis sinueux » de la vieille capitale, enrichi, ici, par les apports lyonnais, ou gascons, ou flamands, là, par les cocasseries des prisons, bagnes, compagnies de discipline et autres.

Les inversions latines y abondent. On y trouve des composés de forme grecque, des salmigondis demeurés syntaxiques, du rire franc et de la pestilence. On y découvre aussi des nuances singulières, et qui ravissent le connaisseur. Il y faudrait parfois l'accent traînant et négligent, pince-sans-rire, des faubourgs de Paris, dont mon oreille est aussi friande que des éclatantes interjections ou des crapuleuses douceurs de Marseille. On connaît, dans l'antiquité, un ouvrage analogue : le *Satyricon* de Pétrone. Mais le *Satyricon* est traversé de lueurs lyriques, dont abonde *Pantagruel,* et dont le Dr Céline-Destouches a cru, à tort, devoir se priver. Le genre « dégueulasse », qui est celui de Bardamu, comporte des cimes, des planements, des sollicitudes magnanimes dont le maître égoutier ne doit pas se priver, dont Rabelais, Cervantès ni Swift ne se sont privés. Le trivial complet sollicite l'envergure, pareil à ces oiseaux charognards qui montent en battant fort des ailes brenneuses, dans la sphère rayonnante de midi. Le mot souverain du réalisme lyrique, c'est fange dorée, et il n'est nullement douteux que *Voyage au bout de la nuit* aura des imitateurs et peut-être, espérons-le, des transmutateurs, entre la charogne et l'azur.

Nous vivons, comme au xvie siècle et plus peut-être que sous la Révolution, en un temps de trouble général, où tout est remis en question. Mais, pour que les choses reviennent en ordre, il faut qu'elles soient allées au bout du désordre — plus exactement « de la nuit » — afin que le jour et la hiérarchie les récupèrent, frémissantes encore de leur émancipation. Ce qui est fade et moyen, ou médiocre, est stagnant. Ce qui est fort, même s'il est purulent, tend vers l'émancipation et l'air libre. Je ne crains que les zones intermédiaires. Les enfants vigoureux tachent leurs langes. J'étais un petit garçon, lors de l'apparition (1875) de *L'Assommoir*. Mes parents se déclaraient pour Zola et la verve salubre, après tout, de ce roman épique en style faubourien — que rappelle le ton du *Voyage au bout de la nuit* — et tout le monde des lettres d'alors se partageait en deux. Après vint *Nana*, qui ne vaut pas *L'Assommoir,* Zola n'ayant pas découvert — et pour cause — l'accent approprié à ce carnaval de la putréfaction. Puis ce fut *La Joie de vivre*, le plus amer et le plus élevé du peintre des instincts sommaires. Il est toujours déplacé et outre-cuidant de se permettre de donner un avis à un écrivain de la haute qualité de M. Céline-Destouches. Cependant, je pense que ses dons extraordinaires peuvent et doivent maintenant le mener aux Alpes, c'est-à-dire aux cimes que l'on peut atteindre en partant des marécages nauséabonds. Il n'y a pas, dans la nature humaine, que le repoussant et l'ignoble. Nous demandons Ariel après Caliban, je veux dire Ariel mêlé à Caliban. Car on rencontre, dans les hôpitaux et dispensaires, un sublime souillé merveilleux. Les heures actuelles, partagées de grandiose caché et d'infect patent, ouvrent à nos lettres françaises, si expertes, usagées et retorses, un champ d'exploitation sans pareil.

Paul Bourniquel
Rabelais hypocondre

[...]

Car ce *Voyage au bout de la nuit* n'est pas gai, il s'en faut bien, il est même assez sinistre, ce que nous lui par-

PAUL BOURNIQUEL, « Rabelais hypocondre », *in La Dépêche* [Toulouse], 27 décembre 1932.

donnerions encore s'il n'était de surcroît si long. On se lasse de tout, et même les passionnés, s'il en est, de scatologie, doivent au bout de ces six cents pages bien garnies éprouver des symptômes d'indigestion. Il y a en fait dans ce volume quatre romans : un roman de guerre, un roman colonial, un américain et un médical. Quatre romans dont chacun pris à part eût peut-être été supportable et où même (car M. Céline ne manque pas de tempérament) on aurait pu discerner d'excellentes parties quoique perdues dans du faux Mirbeau, du faux Zola, voire du faux Goncourt. Servi en un seul livre, ces quatre romans composent un plat écœurant qui provoque rapidement une satiété nauséeuse. Rien de monotone comme le fade relent de la purulence. Et d'ailleurs, le Mirbeau, le Zola, le Goncourt paraissent aujourd'hui un peu bien défraîchis. Ce romantisme réaliste de l'excrément et de l'odeur d'évier n'est pas d'hier. Sans doute dans la pieuse intention de le rajeunir, le lauréat du Renaudot l'a-t-il corsé d'un style nouveau. Il nomme un chat un chat, tout comme lady Chatterley, mais il s'est avisé, en outre, d'écrire en « français moyen ». C'est-à-dire qu'il brutalise la syntaxe et le dictionnaire pour truffer ces six cents pages de pataquès, de cuirs et des façons gracieuses de s'exprimer qu'ont les pipelets. Par là, il prétend reconstituer dans son intégrale naïveté le parler, savoureux en effet, quand il coule de source, de l'homme de la rue. Le malheur veut que M. Céline ne manque ni d'éducation classique, ni d'une vieille habitude d'écrire correctement. Aussi s'aperçoit-on trop souvent qu'il s'efforce et se fait violence pour avoir l'air naturel dans l'anormal. Ainsi ces acteurs parisiens qui, interprétant un rôle de Marseillais, oublient de temps à autre d'avoir l'accent. Ses héros d'ailleurs sont quelque peu difficiles à manier : non seulement le personnage principal, en effet, mais les gens qu'il rencontre sont victimes d'une navrante déformation dont l'origine paraît pathologique. Il voit de la fiente partout et ils en parlent, et ils l'invoquent, et ils s'y intéressent. C'est une sorte d'obsession. Obsession qui trouve son plus bel épanouissement dans la remarquable description de W.-C. publics à New York. Reconnaissons au reste que ce passage-là ne manque pas de grandiose, si l'on peut dire. C'est même un des tableaux les mieux « venus » du livre entier. Mais de là aussi se dégage une dégoûtante tristesse. On ne s'amuse pas souvent en voyageant au bout de la nuit.

Or, on sait bien que Rabelais est volontiers intestinal. Mais il l'est joyeusement, avec une grande et forte et naturelle simplicité. M. Céline l'est tristement et avec une préméditation de mauvais aloi que l'intérêt de la... chose ne justifie manifestement point. Rabelais évoquait des sujets et d'une façon qui ne surprenaient personne en son époque. Et cette joviale candeur de sa paillardise et de sa truculence n'a rien du tout de provoquant. Sa gauloiserie ne vise qu'à se divertir, entre deux propos philosophiques, des gens de bien et point bégueules après boire. Conçoit-on Rabelais lugubre ? Il paraît que l'introducteur [1] de M. Céline le conçoit. Et, même, qu'il le goûte. Il lui a trouvé un disciple l'an dernier dans un anglais laborieusement obscène. Il lui trouve un petit-fils cet hiver dans un morticole de l'espèce pessimiste — M. Céline est médecin — qui, des peintures des salles de garde, du vocabulaire et de l'esprit de l'Internat, semble avoir retenu pas mal de souvenirs assurément mais non pas la joyeuseté.

On demeure étonné quand ce critique pantagruéliste prétend retrouver dans cette pseudo-rabelaiserie un Panurge véritable. Il s'agit d'un certain Bardamu, héros de cette longue histoire, un pauvre bougre pleurard, couard, mal fichu, répulsif et tout confit en abjection. La lâcheté, l'envie, la gredinerie et le gémissement représentés en une seule personne. Et l'on veut bien que le Panurge de maître François soit en effet une crapule fort basse, mais du moins est-il à ses bons moments, qui sont nombreux, joyeux compagnon. Du moins a-t-il, s'il n'en a pas d'autre, le courage de rire quand le danger est passé. La panse pleine et le gosier arrosé, le Panurge de Rabelais se sent en verve,

1. Léon Daudet. *(N.d.E.)*

exhale la joie de vivre et invente de merveilleuses plaisanteries. Il a une manière de génie Panurge. Il est sympathique
quoique crapuleux. Navrant et perpétuellement navré, celui
qu'on découvre *Au bout de la nuit* pleure sur lui-même
et sur la laideur de l'existence sans aucun répit. C'est
peut-être maladif, mais ça n'est pas drôle quand ça dure six
cents pages. Et pour comble, il est « évasionniste » !

Est-il permis de souhaiter que l'auteur des *Morticoles,*
s'il tient absolument à nous fabriquer un tiers Rabelais
l'an prochain, l'invente cette fois plus court, aussi débou-
tonné, il n'importe, mais surtout moins funèbre ? Par défé-
rence pour l'autre qui disait qu'il vaut mieux boire davantage et pleurer moins.

Georges Bataille
[*Une signification humaine*]

La misère n'est pas seulement souffrance : elle est à la
base d'un grand nombre de formes humaines dont la
littérature a pour fonction de signifier la valeur (ainsi
l'extrême dénuement ou les maladies infectes comme la
lèpre donnent aux hommes qu'ils accablent une grandeur
à laquelle il est impossible d'atteindre dans les circonstances ordinaires). Pour la compréhension de cette
relation paradoxale entre l'homme et sa misère matérielle,
il est utile de rappeler qu'il s'agit d'une fonction précé-
demment assumée par la religion chrétienne.

Le roman déjà célèbre de Céline peut être considéré
comme la description des rapports qu'un homme entretient avec sa propre mort, en quelque sorte présente dans
chaque image de la misère humaine qui apparaît au cours
du récit. Or, l'usage que fait un homme de sa propre
mort — chargée de donner à l'existence vulgaire un sens
terrible — n'est nullement une pratique nouvelle : il ne

GEORGES BATAILLE, « L.-F. Céline : *Voyage au bout de la nuit* », *in*
La Critique sociale [Paris], janvier 1933.

diffère pas fondamentalement de la méditation monacale devant un crâne. Toutefois la grandeur du *Voyage au bout de la nuit* consiste en ceci qu'il n'est fait *aucun* appel au sentiment de pitié démente que la servilité chrétienne avait lié à la conscience de la misère : aujourd'hui, prendre conscience de cette misère, sans en excepter les pires dégradations — de l'ordure à la mort, de la chiennerie au crime — ne signifie plus le besoin d'humilier les êtres humains devant une puissance supérieure; la conscience de la misère n'est plus extérieure et aristocratique mais vécue; elle ne se réfère plus à une autorité divine, même paternelle : elle est devenue au contraire le principe d'une fraternité d'autant plus poignante que la misère est plus atroce, d'autant plus vraie que celui qui en prend conscience reconnaît appartenir à la misère, non seulement par le corps et par le ventre, mais par la vie entière.

Il n'est plus temps de jouer le jeu dérisoire de Zola empruntant sa grandeur au malheur des hommes et demeurant lui-même *étranger* aux misérables. Ce qui isole le *Voyage au bout de la nuit* et lui donne sa signification humaine, c'est l'échange de vie pratiqué avec ceux que la misère rejette hors de l'humanité — échange de vie et de mort, de mort et de déchéance : une certaine déchéance étant à la base de la fraternité quand la fraternité consiste à renoncer à des revendications et à une conscience trop personnelles, afin de faire siennes les revendications et la conscience de la misère, c'est-à-dire de l'existence du plus grand nombre.

Pierre Audiat

[*L'amour, qui s'est mué en désespoir*]

[...]

Dans les opinions divergentes exprimées par les critiques, ne cherchez nul point de repère. Je vous dis que ce

Pierre Audiat, « L'actualité littéraire », *in La Revue de France* [Paris], 1 5 janvier 1 9 3 3.

carabin du diable a brouillé tous les jeux. C'est le chaos; tel critique d'extrême-droite s'est fait l'ardent défenseur d'un livre qui crie la révolte à toutes les pages; par contre un des dirigeants de l'école populiste n'a eu que mépris pour un tableau noir, mais exact, des banlieues parisiennes. Tel critique « démocrate » a fait la petite bouche devant cette image d'un monde démocratisé; tel autre, qui semble écrire avec son stick, a caressé amoureusement les flancs du monstre. Mais faites attention à ceci : des écrivains qui ont fortement senti et fortement exprimé la misère de l'homme, son angoisse, et qui pourtant sont tout le contraire des révoltés, ont entendu dans *Voyage au bout de la nuit* le cri d'une âme en détresse, la plainte d'Amfortas qui porte au flanc l'inguérissable blessure. François Mauriac, Georges Bernanos, bons ou, tout au moins, assez bons catholiques, et grands romanciers, n'ont pas rejeté Louis-Ferdinand Céline dans les ténèbres extérieures; ils ont reconnu en lui un frère, grâce à un signe secret.

Ce signe secret, c'est l'amour, qui s'est mué en désespoir; car le désespoir est l'amour, précédé du signe « moins ». Si le titre n'avait été pris par François Mauriac, précisément, on aurait pu appeler *Voyage au bout de la nuit,* le *Désert de l'amour.* Mais quel désert! Pas un arbre, sinon ces arbres défeuillés, aux branches tordues et noires, que les cinéastes allemands introduisent dans leurs films fantastiques. Pas une goutte d'eau : les oueds desséchés sont jonchés de carcasses de bêtes mortes; dans les puits boueux, des cadavres en putréfaction; au fond des sources, du sel cristallisé.

Le héros de Louis-Ferdinand Céline fait le tour du monde : Afrique, Amérique, Europe et Paris, sans jamais rencontrer de douceur qu'une seule fois, auprès d'une petite prostituée américaine qui le console et qui le berce. Mais, partout ailleurs, ce chevalier du désespoir éclate d'un rire affreux et insulte la vie, avec des injures de bagnard. L'Europe de la guerre et de l'après-guerre, il s'en échappe comme on s'échapperait d'un asile où les fous commanderaient. L'Afrique colonisée est pareille à un vieux lion mangé par la vermine. La vermine, c'est nous, les Blancs, sans nulle vanité, mais Céline ne donne point dans la philanthropie noire, ah! non, et ne s'attendrit pas sur le « bon nègre ». Quant aux États-Unis, automates démesurés, nourris de statistiques ridicules, et marchant avec des mouvements d'horlogerie qu'un grain de sable détraque, comment auraient-ils une atmosphère respirable? Alors le désespéré en quête d'amour revient en France, à Paris; il se mêle à ce peuple, qu'on dit spirituel et qui ne passe point pour mauvais; médecin dans la banlieue qui confine à la zone, il voit de près le brave « populo », et il le découvre plein de rancœur, de cupidités, de haines atroces, terriblement tendu vers l'argent qu'il convoite et qu'il brûle d'acquérir, fût-ce par le crime. Le Perceval de la nuit se réfugie enfin dans une clinique pour malades mentaux! havre de disgrâce où des épaves humaines sont pillées par les profiteurs. Un drame sanglant clôt le livre sans que le cœur du lecteur ne soit jamais détendu, mais aussi sans que la force de l'invective ait jamais faibli.

C'est dans cette force continue d'invective que réside, à mon sens, la puissance, rare, de Louis-Ferdinand Céline. Il est à la portée de tout le monde de lancer un : « Crève donc, société! » qui fasse son petit effet, mais le dire en six cent vingt-six pages, le dire avec un renouvellement incessant d'images et de violences, voilà qui n'est pas commun. Au temps où les cochers de fiacre étaient des virtuoses en injures, un dessinateur célèbre représenta un académicien écoutant, émerveillé, un automédon en colère forger tout un lexique de néologismes expressifs. C'est un peu la même impression que nous avons en lisant Louis-Ferdinand Céline. Il injurie l'univers avec une verve qui force l'admiration; il ne faut pas s'arrêter aux gros mots, il faut contempler ce torrent qui, pendant des heures, charrie de la boue et des cadavres.

Il ressort de ce qui précède que le livre n'est pas à recommander aux délicats; tout les choquera dans *Voyage au bout de la nuit :* le ton populacier, la satire grimaçante, le style chargé de termes crus ou obscènes, mais c'est le sort des œuvres outrancières : Rabelais, Mirbeau ou Léon Bloy, que de heurter les délicats.

Par contre le livre risque de plaire aux simples et aux raffinés. Aux simples qui se trouvent de plain-pied avec l'auteur et qui parlent sa langue : la concierge de M. Louis-Ferdinand Céline fit compliment de son ouvrage à l'auteur en lui disant : « C'est un livre, M'sieur Céline, qu'est intéressant partout qu'on le commence. » Aux raffinés parce qu'ils se sentent en présence d'une force sauvage à laquelle ils aspirent ou qu'ils regrettent comme quelque chose d'inaccessible. Ils éprouvent devant ce livre la même nostalgie que celle qui s'empare d'un galant homme, lorsqu'il voit une belle brute arriver à ses fins auprès d'une femme convoitée. M. Louis-Ferdinand Céline a violenté la littérature; bien d'autres écrivains voudraient faire comme lui, mais ils n'osent — ou ils ne peuvent.

1933. Si la querelle du Goncourt s'éteint vers mars 1933, de nou-velles interviews, des manifestations épistolaires spontanées et l'annonce, dès avril, de sa première pièce entretiennent la renommée de Céline.

Cette carrière, jugée passablement académique, lui vaut une série d'attaques dans plusieurs revues ou journaux engagés qui, de « Qu'on s'explique… » à « Hommage à Zola », crient au reniement. *L'Église* n'en bénéficiera pas moins d'une critique pléthorique, mais, sévère ou bienveillante, celle-ci s'attache visiblement plus à l'auteur qu'au texte. Chez les moins consentants, Céline est décidément devenu un « cas ».

Jean Prévost
Lieux communs de l'argot, conformisme de la révolte sans pensée

Peut-on dire que *L'Église* est le nouveau livre de M. Céline? Il l'a, selon son avertissement, composé depuis

Jean Prévost, « Un nouveau Bardamu : *L'Église* de M. Céline / Lieux communs de l'argot, conformisme de la révolte sans pensée », *in Notre Temps* [Paris], 4 octobre 1933.

33

longtemps, et il vient de le retoucher. En tout cas, *L'Église,* avec les mêmes décors d'Afrique malsaine, d'Amérique stupide, de banlieue pourrie, avec le même Bardamu central, appartient au même fonds, contient juste les mêmes conceptions et les mêmes rêves que le *Voyage au bout de la nuit.* Composé avant le *Voyage,* ce livre-ci en serait une ébauche; composé après, il n'en serait qu'une ressucée.

L'extrême surabondance de M. Céline, ce refus de jamais rien corriger, de jamais dire le mot exact, cette manie de se répéter auprès de laquelle Péguy lui-même était elliptique et concis, on ne les imagine même pas sur la scène. Et nous pouvons bien nous moquer que cette comédie en cinq actes puisse ou ne puisse pas *aller* à la scène; nous n'en sommes pas moins frappés par la prodigieuse inutilité de ces répétitions, même lorsque, par hasard, elles sont vraisemblables :

Je ne connais pas Chicago. Est-ce qu'il y a un consulat de France? Vous avez le petit truc du téléphone? Oh! Comme il y en a des téléphones en Amérique! Attendez que je regarde *Chicago.* Chicago, consulat, consulat, consulat, con...consulat, consulat général de France. Oh! C'est un Consulat général de France. Eh bien! vous savez, c'est un Français qui a découvert l'emplacement de Chicago. Il s'appelait Cavelier de la Salle, un Normand, il a une rue à Saint-Germain. Eh bien! je suis un type du genre du *(sic)* Cavelier de la Salle, je vais à Chicago, et j'irai à Saint-Germain.

Il n'y avait qu'une seule manière de théâtre dont M. Céline pût se rapprocher involontairement ou s'inspirer consciemment : c'est *Ubu Roi.* Il en a la grossièreté, la violence destructive, mais *Ubu,* justement, nous montre que la grossièreté même a besoin d'art. Il y a, dans Jarry, un rythme des répliques, une invention verbale sans clichés, un relief et un mordant qui font tout à fait défaut à M. Céline. Sans doute, on trouve, de temps en temps, une invention verbale amusante, dans le goût populaire, et que personne au monde ne peut se vanter d'avoir inventée : « Va lui flanquer *mon* pied dans le cul », par exemple. Mais, pour qui a pris l'habitude de l'argot, il y a quelque lassitude à retrouver, dans M. Céline, tous les clichés de l'argot.

On nous excusera de revenir sur l'un des points qui ont été les plus mal traités à propos du *Voyage au bout de la nuit*. Mais peut-on considérer l'argot comme une langue vivante, une véritable langue parlée, tandis que la langue écrite ne serait qu'une langue morte? Le véritable intérêt de l'argot, c'est de n'être compris qu'*entre initiés*. Dès que tout le monde comprend les termes de leur langage, les gens du milieu en changent. L'argot qui ne sert plus aux gens initiés amuse les bons badauds, quelques années encore, par la verdeur de ses métaphores. Et enfin, quand ces métaphores sont devenues banales et courantes pour tout le monde, quand ce ne sont plus des inventions, elles sont plus plates que la langue courante elle-même. Les argots se démodent et meurent tandis que le français reste. [...]

Tous les clichés du mauvais langage, tous les clichés de cette révolte verbale, veule et monotone, qui se prend pour le non-conformisme et n'est qu'un conformisme à rebours, M. Céline, dès son premier volume, en avait épuisé pour nous, une fois pour toutes, la nouveauté et la curiosité.

Voici une comparaison qui désobligera peut-être l'un et l'autre des comparés : les œuvres de M. Céline ressemblent beaucoup aux *Mémoires* de M. Poincaré. Ce n'est pas le même monde, comme on dit, ce ne sont pas tout à fait les mêmes pensées, puisque les unes sont exactement le contraire des autres. Mais les énormes volumes de M. Poincaré (qui bat M. Céline lui-même de plusieurs *longueurs*), que sont-ils, sinon le sempiternel entassement de tous les clichés convenables, de tous les préjugés bien pensants, de toutes les idées reçues dans la bourgeoisie patriote? Et M. Céline, qu'a-t-il ajouté à cette morne révolte verbale, à ces clichés contre les autres clichés, à cette négation aveugle qui ne sont pas la vraie révolte, mais la lâcheté parodiant la révolte? Il y a un non-conformisme populaire, mais plus inventif, plus hardi, plus ardent, qui est invention et talent, qui est rare, car l'invention et le talent sont rares partout, et qui nous intéresserait plus que ce ressassement.

Ce qui laisse, malgré tout, certaine dignité au Bardamu qui est le porte-parole de M. Céline, c'est qu'il avoue sa peur, c'est que de sa révolte même, il n'ose pas faire une doctrine, à cause de sa peur :

Oh! moi, vous savez, monsieur Tandernot, je le suis comme tout le monde (anarchiste), en théorie, vous avez raison, mais pour l'être complètement, anarchiste, il faudrait ne plus avoir besoin de bouffer... Les vrais anarchistes, ce sont les gens riches, voyez-vous.

Et comme Bardamu et M. Céline sont médecins, ils essaient de pousser un peu plus haut le non-conformisme et le dégoût, sans essayer de leur donner plus d'ampleur :

La science, voyez-vous, madame, c'est pas si brillant qu'on le dit; j'en suis bien revenu... La science, au fond, c'est essayer de comprendre, et si on tient tant que ça à comprendre, je suis arrivé à penser que c'est qu'on a peur de tout...

Je vois fort bien cette maxime prendre une espèce d'air de génie; il est certain qu'elle trouvera des admirateurs.

Cet aboiement de mauvaise humeur contre tout, qui a enchanté certains révolutionnaires, les décevra de temps en temps. Il contient, par exemple, une bonne dose d'anti-sémitisme :

Les plus intelligents parmi les hommes, ce sont les plus froussards. Voyez les juifs!

Ou encore, dans la S.D.N. de M. Céline, les directeurs du service des compromis, les directeurs des affaires transitoires, des services des indiscrétions, tous *juifs de quarante-cinq ans,* et qui m'ont bien l'air, en effet, d'être nés tout au début de l'affaire Dreyfus dans l'imagination populaire [1]. L'idée naïvement mise en scène, que les insti-

1. A rapprocher de cette observation de Ramon Fernandez qui conclut ainsi un compte rendu assez nettement favorable : « On y fera aussi des découvertes singulières, et notamment que M. Céline se fait

tutions internationales ne sont faites que pour faire toucher de gros chèques à quelques crapules, est du même acabit que la démagogie réactionnaire qui représente les ministres uniquement occupés à se partager les prébendes des fonds secrets et les actrices. On s'est étonné de voir M. Léon Daudet aimer le livre de Céline. Il aimera sans doute celui-ci, dont une part semble écrite sur ses conseils. Mais M. Daudet lui aussi est une espèce d'envers de M. Poincaré.

Les pages les plus vivantes dans cette longue pièce morne sont celles qui nous montrent Bardamu médecin, tripotant, maniant familièrement, avec des mains plus ou moins propres, la pauvre souffrance et la pauvre misère humaines. Il a beau nous dire qu'il préfère les malades parce qu'il se sent moins faible devant eux que devant les bien portants, l'humanité vraie perce, dans les deux derniers actes, et relève à mes yeux personnage et livre. On reconnaît toujours le réel, et le réel est toujours le meilleur, même dans le réalisme.

René Lalou

Le Cas Céline

Il peut sembler, d'abord, étrange que le second ouvrage publié par l'auteur du *Voyage au bout de la nuit* porte ce titre *L'Église* et figure dans une collection intitulée « Loin des foules ». La signification de son titre symbolique, Céline ne nous la livrera qu'au dernier acte avec cette riposte de Bardamu : « C'est pas une religion, mon petit,

René Lalou, « Le Cas Céline. [...] *L'Église*, par L.-F. Céline », *in L'École libératrice* [Paris], 14 octobre 1933.

---

de la S.D.N., menée par des juifs, une idée toute semblable à celle que s'en font *l'Action Française* et M. Hitler » in *Marianne* [P] du 11 octobre 1933. *(N.d.E.)*

Janine, la vie. Vous devriez le savoir! C'est un bagne! Faut pas essayer d'habiller les murs en église... il y a des chaînes partout. » Ce qu'il nomme l'Église serait donc toute la vie humaine telle que l'a peinte un faux idéalisme. Or, nous sommes par ailleurs avertis que cette comédie constituait la première version du célèbre *Voyage*. En la faisant paraître dans une collection à tirage limité, son auteur entend, je suppose, nous inviter à y chercher un comprimé de célinisme à l'état pur.

Cela sera d'autant plus facile, pour un lecteur qui abordera *L'Église* (Denoël et Steele, éd.) en connaissant déjà le *Voyage,* qu'il procédera instinctivement au rebours de la vérité historique. Nous avons beau savoir que la comédie fut composée dix années avant le roman, nous gardons l'impression de *retrouver* Bardamu : au premier acte, dans la colonie africaine de Bragamance; au second, dans la cité de New York; au quatrième et au cinquième, dans une salle de bistro de Blabigny-sur-Seine qui deviendra la clinique de médecin misanthrope. Reste le troisième acte, qui forme un vaste intermède à la manière d'*Ubu-Roi :* après avoir stigmatisé les tares de la colonisation, après nous avoir conduits dans les coulisses d'un grand music-hall, Céline attaque la Société des Nations avec une implacable férocité. Tandis que le *Voyage* semblait né de l'intime collaboration d'un visionnaire et d'un satiriste, c'est évidemment le satiriste qui l'emporte dans *L'Église.*

Son triomphe est si complet qu'il en résulte parfois quelque monotonie. Lorsqu'on nous informe qu'aucun directeur de théâtre n'a consenti à monter *L'Église,* on veut peut-être nous suggérer qu'ils ont tous manqué d'audace. Mais il faudrait être bien naïf pour croire que les directeurs auraient peur de provoquer un scandale. Ce qu'ils craindraient plutôt, c'est de voir les spectateurs gagnés par l'ennui devant une pièce construite comme une revue et sans véritable action dramatique. A mon avis, l'expérience vaudrait pourtant d'être tentée : je suis persuadé que plusieurs des personnages qui entourent Bardamu prendraient, à la scène, un savoureux relief et aussi que les scènes émouvantes des deux derniers actes porteraient sur le public. Mais on ne peut se dissimuler que, dans l'ensemble, *L'Église* reste un long monologue de Ferdinand Bardamu Céline.

Quand il eut publié le *Voyage*, la position de Céline était singulièrement forte : si ce roman était demeuré son unique témoignage, il serait à peu près inattaquable. Même lorsque nous y relevions l'emploi de certains procédés, nous pouvions penser qu'ils étaient l'expression toute spontanée d'une personnalité. Il n'en va plus ainsi aujourd'hui : Céline a fait paraître *L'Église* et divers articles; il a prononcé un discours devant la maison de Zola; il annonce un nouveau roman, *Mort à Crédit*. Bon gré, mal gré, le voilà installé dans la littérature. Du même coup, il y installe tous les tics de Bardamu : deux hommes, une seule attitude, dirait-on volontiers. Nous n'assistons plus maintenant à l'explosion d'un tempérament, comparable à une force de la nature; nous sommes en face d'un écrivain qui a choisi ses moyens, qui en a éprouvé l'effet, qui en veut tirer d'autres réussites.

Pareille cristallisation a tellement déçu quelques lecteurs qu'ils accusent Céline de s'emprisonner dans un conformisme aussi vain que le conformisme de l'acceptation : le conformisme de la révolte. Dans leur indignation, ces critiques semblent oublier que tout art comporte une part d'artifice. Le comique rabelaisien, voire les plaisanteries de carabin, sont indispensables à cette stylisation de Bardamu-Céline. Écoutez-le plutôt : « Moi, je m'en fous, Janine, d'être adoré! A quoi ça sert-y d'être adoré? Voulez-vous me le dire? Est-ce que ça m'empêchera d'avoir un cancer du rectum, si je dois en avoir un? » Je ne vous propose pas cette brutale rebuffade comme un modèle de logique; mais cette rage désordonnée ne prouve-t-elle point la sincérité de Bardamu? Et maintes pages de *L'Église* attestent son culte pour la beauté charnelle, précieuse et périssable. Son compagnon Pistil ne se trompe pas qui le juge en ces termes : « Je le connais bien, va... Il a du bon, mais c'est du bon qui est dur, tu comprends? » Répondons à l'appel de

Pistil et comprenons, nous aussi, de quelle rude pitié jaillit cette véhémente ironie.

Pierre-Aimé Touchard
[*Céline et Bardamu*]

M. Céline, lui, n'a même pas l'intention de lutter. S'il s'intéresse au peuple tout au plus songe-t-il, sans doute, à l'enliser davantage dans sa trouble médiocrité. Car ce qui frappe en lui, au moins autant que ses géniales qualités d'évocateur, c'est ce consentement arrêté, déterminé, au désespoir et à une croupissante indigence morale. A ce point de vue *L'Église,* qu'il vient de publier, offre un intérêt particulier, car, dans cette comédie, écrite avant le *Voyage au bout de la nuit,* et où se retrouvent les mêmes personnages, on découvre une surprenante tentative de justification de Bardamu. La lecture du *Voyage* en effet laisse posée une immense interrogation. Ce Bardamu, que l'auteur a suivi si patiemment pendant ces 600 lourdes pages, à l'âme de qui il a si bien collé la sienne, *existe-t-il en fait?* Entre M. Céline et lui, y a-t-il autre chose que l'intérêt passionné d'un créateur pour sa création, y a-t-il, entre Céline et Bardamu, *identité?* L'étude de son caractère est faite si évidemment du dedans, on y sent un tel souci de ne pas sortir de cet homme pour le juger qu'il n'est pas possible d'échapper à l'obsédante inquiétude de cette identité. (Certaines lettres publiques, adressées par M. Céline à divers journaux ou revues, depuis qu'a paru le *Voyage,* confirmeraient cette impression. C'est évidemment Bardamu qui les a signées.) La personnalité de M. Céline n'est pas ici en question, du moins directement. Ce qu'il importe de savoir c'est, pour la connaissance de l'âme humaine, s'il est possible qu'un Bardamu

Pierre-Aimé Touchard, « Chronique du théâtre vivant », *in Esprit* [Paris], 1er décembre 1933. © *Esprit.*

existe autrement que dans l'imagination d'un romancier, s'il est une réalité individuelle d'un seul bloc, et spontanée, ou s'il a été créé par le regroupement artificiel d'observations notées sur des êtres différents, quoique du même genre, comme l'ont été l'Avare, le Misanthrope ou M. Homais.

Or *L'Église,* peut-être en raison de la forme théâtrale qui favorise les confidences apporte les éléments d'une solution. Dans la nuit étouffante du voyage, les vitraux de l'Église laissent percer quelques lueurs. Oh! elles ne sont pas bien éclatantes, mais elles suffisent à humaniser la pièce. Le Bardamu de *L'Église,* s'inquiète de ce que peuvent penser de lui les autres, alors que celui du *Voyage,* pour parler son langage, « s'en fout » éperdûment.

[...]

Ce Bardamu qui explique sa peur, qui ne s'en fait plus un panache, qui est sans cesse en quête d'une beauté plus grande, qui s'éduque lui-même, qui éduque le malheureux Pistil, comme il est différent de celui que nous connaissions d'après le *Voyage.* Sans doute, il a perdu de sa hideuse grandeur. Sans doute, il n'est plus qu'un pauvre être, mais nous sentons qu'on peut l'aimer, et quand la petite Janine, au dernier acte, veut le forcer à accepter son amour, et qu'il refuse, par peur d'aimer vraiment, lui qui prétend n'aimer que par peur de mourir, sa misère est si criante, si immense sa solitude, que l'on découvre en soi un attachement insoupçonné, une pitié soudain jaillissante qui voudrait pouvoir s'exprimer et convaincre — et en même temps, et pour la première fois aussi, une vraie colère, violente et rageuse contre cet imbécile dont la lâcheté fait la misère.

Et dès lors on ne peut plus douter que le Bardamu du *Voyage* ne soit qu'une attitude. Et l'on serait tenté d'en remercier M. Céline.

Mais lui-même, n'a-t-il pas voulu signifier nettement qu'il se détachait de son héros, en le faisant viser par Janine, en fin de pièce? Relisez les quelques lignes de préface qu'il a écrites pour *L'Église* : « Nous n'avons pas changé grand'chose en la donnant hier à l'imprimeur...

Tout de même... Cette petite Janine qui se résignait alors, nous l'avons fait revenir... avec un revolver... Trois lignes, tout à fait à la fin... Vous verrez... Elle va brutaliser notre comédie... Pourquoi? Est-ce là tout ce que nous avons appris en dix ans? Mais vous-même? »

Et, en effet, à la fin du dernier acte « la petite Janine entre, sombre, avec un revolver et tire dans la direction de Bardamu. Tous les coups ratent. On la désarme. Ils la gardent avec eux, sans rancune. Bardamu lui tient la main... »

N'avais-je pas raison de dire que le Bardamu du *Voyage* n'était qu'une attitude, un être sans vie réelle. Dès qu'il devient un homme, M. Céline s'empresse de faire tirer sur lui.

Émile Henriot

Céline et Zola

Le *Bulletin de la Société des amis d'Émile Zola* vient seulement de publier le discours prononcé par M. Louis-Ferdinand Céline, le 1er octobre dernier, au pèlerinage annuel de Médan. Ce discours a fait quelque bruit au moment même, mais on n'avait pu alors s'en faire une idée que par on-dit, faute d'avoir sous les yeux un texte intégral qui n'est imprimé qu'aujourd'hui. Il était naturel que l'auteur du *Voyage au bout de la nuit* rendît publiquement hommage à l'auteur des *Rougon-Macquart* : c'est un hommage en quelque sorte filial. Mais de *L'Assommoir* au *Voyage,* le naturalisme a beaucoup noirci, et il était curieux de savoir ce que le père de Bardamu, si ce n'est son frère, pouvait avoir à dire au père de Nana et de Coupeau, qui fait presque figure de poète à côté de lui, et semble n'avoir écrit que des idylles et des berquinades, auprès des sombres peintures où M. Céline s'est plu à tra-

ÉMILE H[ENRIOT,] « Céline et Zola », *in Le Temps* [Paris], 4 décembre 1933.

cer, d'une plume corrosive, le tableau qu'il se fait du monde. En fait, M. Céline, qui l'admire, n'est pas loin de considérer le chef de l'école naturaliste comme un doux rêveur, vu son optimisme, sa foi dans la perfectibilité de l'homme, et sa naïve confiance dans les bienfaits de la science et du progrès. M. Céline, comme on sait, ne donne point dans ces fariboles; il est résolument pessimiste, et à l'en croire, nous n'avons rien à espérer de la vie ni de l'avenir.

Pour lui, l'homme est naturellement méchant, et la civilisation elle-même ne ferait qu'entretenir cette méchanceté naturelle. Car la civilisation, suivant l'éthique de l'auteur de ce terrible *Voyage,* ne tend qu'à développer chez tous les humains le goût de la destruction. Qu'il s'agisse de la société marxiste, ou des sociétés bourgeoises et fascistes, une « incurable psychose guerrière » domine le monde, et le « coince »; et d'ailleurs, sans cette contrainte, toutes les formes sociales, quelles qu'elles soient, s'écrouleraient dans la pire anarchie : nous sommes « à la veille d'une immense déroute », dont M. Céline voit la cause dans un vaste « désir de néant profondément installé dans l'homme, et surtout dans la masse des hommes, une sorte d'impatience amoureuse, à peu près irrésistible, unanime, pour la mort » — « L'âme des hommes s'est définitivement cristallisée sous cette forme suicidaire. » On voit bien à quoi en a M. Céline; c'est à la guerre. Il n'a peut-être pas tort d'y penser et de la haïr. Il faudrait seulement savoir s'il est aussi vrai qu'il le dit que l'univers entier l'appelle, la souhaite et brûle de la faire. Professer qu'on s'y résoudra s'il le faut, pour se défendre, ce n'est pas du tout être belliciste, pas plus que ce n'est désirer d'avoir la fièvre typhoïde que de décider qu'on se soignera le jour où l'on sera atteint de cette maladie. Nous croyons l'avoir déjà dit : M. Céline a beaucoup de talent, et la question n'est pas de savoir si ce talent est aimable ou non; mais, talent à part, il voit systématiquement tout en noir, et ce discours montre qu'il est fidèle à lui-même, et qu'il pense bien comme son fameux Bardamu.

Au reste, quoiqu'il ait fortement témoigné, dans son *Voyage*, qu'il était bon observateur malgré l'outrance et le parti pris, ce n'est pas son observation qui a rendu M. Céline pessimiste : c'est *a priori* sa philosophie qui noircit le monde sous ses yeux. La philosophie de M. Céline est celle d'un homme qui ne voit partout que la mort. Sa révolte le dresse bien moins contre les hommes que contre elle. « La rue des Hommes est à sens unique, la mort tient tous les cafés, c'est la belote " au sang " qui nous attire et nous garde. » La belle découverte, en vérité! Comme s'il n'y avait pas des milliers et des milliers d'années que les hommes naissent pour mourir! Comme si l'instinct de destruction était le fait exclusif de l'homme moderne! Et comme si tout avait tellement changé, depuis Zola! « Nous avons appris sur les âmes, depuis qu'il est parti, de drôles de choses », constate avec découragement M. Céline-Bardamu. Il me semble que c'est une constatation un peu naïve, comme de dire que « depuis Zola le cauchemar qui entourait l'homme non seulement s'est précisé, mais est devenu officiel ». Est-ce que Pascal et Bossuet, avant Zola, et Schopenhauer, et maints autres, n'ont pas aussi cruellement dénoncé le néant auquel nous sommes voués, et qui nous guette? Seulement, ils s'efforçaient de nous donner à croire qu'il y avait peut-être autre chose au-delà de ce noir néant... Dans le désespoir qui l'étreint, et qui nous le rend d'ailleurs fort sympathique, au style près, l'auteur du *Voyage au bout de la nuit* nous fait penser à Barbey d'Aurevilly offrant à Baudelaire un crucifix et un pistolet : assurant par là qu'il n'y avait pas d'autre choix pour lui qu'en cette alternative. Pauvre M. Céline, qui ne croit même plus à la littérature, puisqu'il dit qu'il n'y a rien à espérer du naturalisme lui-même, et que le doute, lui aussi, est en train de disparaître de ce monde. « Les conflits spirituels agacent de trop près la masse, de nos jours, pour être tolérés longtemps... » Et encore : « Tout devient plus tragique et plus irrémédiable à mesure qu'on pénètre davantage dans le destin de l'homme. » Possible : mais est-ce à un médecin de le dire, est-ce à un médecin de propager la contagion de son désespoir et de son épouvantable nihilisme? Car M. Céline est médecin. On aime à croire toutefois qu'il est moins dur à ses clients qu'il ne l'est avec ses lecteurs, et que sa sincérité ne va pas à déclarer à ses malades : « Mon ami, vous êtes incurable! » comme il ne cesse de nous le répéter dans ses écrits. J'estime, pour ma part, que Fontenelle était plus humain, qui avait vu beaucoup de choses et n'était pas plus optimiste que M. Céline. Mais il était plus pitoyable et ne voulait désespérer quiconque. Rappelez-vous son propos si tendre et si sage : « Si j'avais la main pleine de vérités, je ne l'ouvrirais pour personne. »

1936. *Mort à crédit* paraît en mai dans une atmosphère assez peu propice. Malgré l'irritation que causent une publicité tapageuse et quelques petits procédés — dont les fameux « blancs », l'accueil présente encore une ampleur considérable, quoique concentrée sur deux mois. Mais Céline est désormais observé en fonction de préjugés, de sentiments rentrés ou de clichés. Les opinions paraissent s'être définitivement durcies à mesure que les tirages augmentaient.

De Robert Denoël, prêtant main-forte à son auteur, à Paul Nizan, c'est moins l'éventail critique qui importe qu'un ensemble de réactions, déjà idéologiquement sériées. Toutes, pourtant, elles affirment clairement le fossé qui sépare Céline de la littérature et de la conception esthétique de son temps.

Robert Denoël

Interview par Pierre Langers

Il y a (ou s'il n'y a pas encore, il y aura demain) une affaire Céline (Louis-Ferdinand). On est pour ou contre *Mort à crédit* comme on était, il y a quelques années, pour ou contre le *Voyage au bout de la nuit*. On est

PIERRE LANGERS, « Quand Céline s'exaspère... M. Denoël nous dit... » *in Toute l'édition* [Paris], 23 mai 1936.

violemment pour et on est violemment contre. Pas de milieu. Louis-Ferdinand Céline ne fait pas les choses à demi : il vous empoigne ou il vous dégoûte. On ne se bat pas encore pour lui (je veux dire pour son œuvre), mais qu'on se rassure : on se battra bientôt. Après tout, cela nous changera de la bagarre politique. Et nous ne nous en plaindrons pas.

Ce n'est pas M. Céline qui va nous parler de *Mort à crédit*. Il a bien trop de modestie et de pudeur pour cela ! A moins que, tout bonnement, il n'ait que mépris pour les interviews et les interviewers. Je serais assez tenté de pencher pour cette hypothèse. L'avouerai-je ? Elle me ravirait. Enfin, j'aurais trouvé un écrivain qui se moque de ce qu'on peut dire de lui ! Saluons ce « sauvage ».

Et écoutons ce qu'en dit son éditeur devenu son ami, Robert Denoël, homme jeune et sympathique, esprit libre — et qui, vous vous en doutez, est enthousiaste de Céline et a pour *Mort à crédit* une admiration sans limites.

— Ne vous y trompez pas, commence-t-il, Céline est, d'abord, un écrivain, un homme de lettres d'un type presque disparu, celui d'avant la guerre. Pour lui, l'œuvre compte, seule. Il n'est pas question d'écrire pour gagner de l'argent, mais d'écrire parce qu'on a quelque chose à dire, quelque chose à délivrer, fût-ce un monstre. Céline écrit comme écrivait Flaubert. *Mort à crédit* est extrêmement travaillé ; il n'en était jamais content ; il l'a récrit quatre fois, cinq fois ; il a mis près de cinq ans à l'achever. C'est que Céline considère — comme un Flaubert, comme un Péguy — le fait d'écrire comme un métier qui s'apprend, comme un travail d'artisan.

— Et puis, cette langue qu'il a créée...

— Vous pouvez le dire : Céline est bien un créateur de langage. *Mort à crédit* — certains le lui ont reproché — est écrit, d'un bout à l'autre, dans une langue extraordinaire de verdeur, de brutalité, de nouveauté. Comme l'a dit Robert Kemp dans *La Liberté*, l' « effet est terrible ». Vous verrez : on ne parlera plus et surtout on n'écrira plus après Céline comme avant. Déjà, le *Voyage au bout de la nuit* avait eu une influence évidente sur le style de plus d'un jeune écrivain.

Ajoutez qu'un effort comme celui qu'exprime *Mort à crédit* a demandé un courage de l'esprit considérable. Des critiques ont comparé, *mutatis mutandis,* bien entendu, l'univers de Céline à l'univers de Proust. Il est certain qu'il a fait pour le monde du petit commerce parisien, par exemple, à cheval sur le prolétariat et sur la petite, toute petite bourgeoisie, ce qu'a fait Marcel Proust pour le monde de la grande bourgeoisie et de l'aristocratie. Chez l'un il y a une délectation véritable dans le joli, le raffiné; chez l'autre, c'est la délectation dans le médiocre de la vie réelle, dans l'atrocité qu'entraîne la misère. Et tout cela au paroxysme, parce que Céline est lui-même un être de paroxysme, un tempérament exceptionnel, hors mesure...

— A ce point que vous avez dû intervenir, vous, éditeur, au nom de la morale?

— Allons! il ne faut rien exagérer. Voilà ce qui s'est passé. Emporté par une impétuosité presque folle, ne se rendant nul compte des limites que la décence rend nécessaires, Céline a tout dit, tout. Le devoir de l'éditeur était de le mettre en garde contre ces excès. Nous lui avons demandé quelques suppressions. En réalité, les passages en blanc que vous avez remarqués dans le livre ne représentent que la valeur de trois ou quatre pages. Pour le reste, qui est parfois d'un réalisme cent pour cent, nous avons jugé que le mouvement de l'œuvre elle-même le justifiait.

Évidemment! On va en profiter pour refaire le procès périodique des droits de l'écrivain. Je pense, avec un aussi bon esprit qu'Eugène Marsan, grand admirateur, lui aussi, de Céline, que les droits de l'écrivain sont presque illimités. Les pages les plus audacieuses de *Mort à crédit* sont d'un artiste et d'un artiste sincère. Certes, je m'attends aux réactions violentes du public (ou d'une certaine partie du public) : chaque fois que l'on touche au domaine de l'affectif, au problème sexuel, on observe des réactions brutales. Ce fut le cas de *L'Assommoir,* de Baudelaire et, ne l'oublions pas, de Marcel Proust. Mais qu'y faire? La postérité se charge de mettre les choses et les valeurs en place. Avec Louis-Ferdinand Céline, j'ai confiance...

M. Denoël a-t-il raison d'avoir confiance? C'est le secret de l'avenir. Mais c'est une belle chance pour un éditeur d'imposer au public un livre comme *Mort à crédit,* un auteur comme Céline. Et ceux-là même (je crois bien que j'en suis) qui ne goûtent guère la langue de l'écrivain, ni ses hideux tableaux souscriront pourtant à ce vœu du critique Robert Kemp : « Céline achèvera, je l'espère, cette " somme " naturaliste; cette effroyable synthèse de la misère, du vice, de la révolte, de l'immoralisme, de la sexualité, de la maladie. Il l'achèvera. Et ce ne sera pas rien! Un ouvrage unique, dans toutes les littératures, sinon en son principe, du moins par ses dimensions, son exécution foudroyante ou frénétique... »

Et si cette « somme » allait être le miroir de notre temps? Alors, tremblons...

Gabriel Brunet

[*L'épopée dégueulasse de la nausée et du dégoût!*]

Sept cents pages bien tassées qui vous tombent sur la tête pesamment, lentement, inexorablement; sept cents pages de réalité saisie aux portes du cauchemar et dont vous sortez titubant et nauséeux. De divers côtés, on a demandé au roman, en s'appuyant sur de bonnes raisons, de revenir à l'humble réalité! On dirait que M. Céline, avec une humeur féroce, s'est dit : Attendez un peu, mes

GABRIEL BRUNET, « Le Cas Céline », *in Je suis partout* [Paris], 6 juin 1936.

bons amis, je vais vous y mettre le nez, dans les humbles réalités, et vous m'en direz des nouvelles! Mises à part certaines inventions d'un bizarre poète, qui ne dédaigne pas l'épisode carnavalesque et grand-guignolesque, M. Céline est le Marat de cette forme de roman qui, fouillant avec une hallucination presque sadique les réalités de la grise existence quotidienne, y découvre un océan de stupres et d'abominations. Il se peut après tout que l'humble réalité débouche de bien des façons sur l'horreur et le délire et que, regardée avec attention, elle vous impose souvent un frisson d'épouvante. Pourquoi, à l'occasion de ce Marat du roman, évoqué-je cette parole de Napoléon : « Marat, je l'aime parce qu'il est sincère. Il dit toujours ce qu'il pense. C'est un caractère. Seul il lutte contre tous. »

Oh! J'ai beaucoup de querelles à chercher à M. Céline. Pourtant, je m'intéresse à ses livres, non point à titre d'ouvrages qui doivent représenter la norme de la littérature, mais à titre d'exceptions quasi monstrueuses où se révèle, bon gré mal gré, une manière de génie gauche et barbare, fort souvent pesant et ennuyeux, mais génie tout de même! Il faut quelques livres comme ceux de M. Céline pour battre en brèche la fade littérature académique à qui il fait souhaiter le sort de ces âmes que vomit l'enfer parce qu'elles ont passé dans la vie sans y avoir fait acte d'être vivant. Ainsi la littérature académique traverse ce terrible monde sans trouver d'intense accent ni pour la réalité ni pour le rêve, ni pour la joie ni pour la douleur. Il faut plaider pour l'exception Céline parce que l'amour généreux des lettres réclame avec vigilance la lutte contre la littérature moyenne pour Français moyen. Ne vous y trompez pas : je ne songe pas du tout à blâmer une littérature qui s'intéresse aux gens du peuple et pas du tout non plus une littérature imprégnée d'authentique naïveté. Il faut enfin plaider pour l'exception Céline par aversion pour une certaine forme de littérature édifiante. Il existe une littérature édifiante de grande classe; elle apparaît spontanément quand s'exprime une âme élevée; mais il est deux formes de littérature édifiante dont il faut se défendre : une littérature édifiante de droite qui ment sciemment sur la société, et une littérature édifiante de gauche qui ment sciemment sur l'homme pour mieux faire croire à la puissance des transformations sociales. J'ajoute qu'après avoir plaidé pour les ouvrages de M. Céline, je dirai au lecteur de se mettre en garde contre eux, car, si sincère que soit M. Céline, en son fond, sa conception de l'homme et des hommes est tout de même trop simplifiée. *Mort à crédit* ne peut être mis au rang du *Voyage au bout de la nuit*.

J'ai dit de ce livre qu'il est apparu brusquement dans notre littérature d'aujourd'hui comme un roman-typhon qui balaie tout sur son passage; j'ai dit qu'il flamboyait d'une cruelle ivresse qui en fait une épopée de la hargne; j'ai dit qu'en un sens, ce livre est notre *Odyssée*, l'épopée d'aventures d'un monde infernal : le nôtre. Notre Ulysse, hélas! c'est peut-être Bardamu! Le *Voyage au bout de la nuit* était une réussite unique : ce livre restera à jamais attaché au flanc de notre époque comme le châtiment qu'elle a mérité à la face de tous les siècles à venir. *Mort à crédit* n'a pas, je le crois, la puissance irrésistible d'enlèvement du *Voyage,* ni son étonnante allégresse dans le burlesque. Mais il garde la même passion acharnée pour les vérités que d'aucuns dénomment « les vérités qui ne sont pas bonnes à dire ».

Ce trait doit être impliqué de toute éternité dans la vocation de l'authentique écrivain, car prenez à un moment donné les écrivains qui comptent vraiment, qu'ils soient de droite ou de gauche, et vous verrez qu'au regard de bon nombre de gens ils jettent dans le commerce ces vérités qui ne sont pas bonnes à dire. A propos de Drumont, j'ai entendu prononcer l'expression « nature sacrificielle »... N'est-ce pas la règle, même pour ceux qui se sentent écrivains par un appel inéluctable? L'ardeur pour « les vérités qui ne sont pas bonnes à dire » leur importe bien plus que la prudente administration d'une carrière temporelle. Une expression un peu verte ne messied pas pour qualifier un livre qui ne recule devant aucune verdeur d'expression : le *Voyage* est plutôt l'épopée de la hargne, *Mort à crédit* est plutôt l'épopée dégueulasse de la nausée et du dégoût !

Au vrai, y a-t-il une différence bien visible entre le spectacle que donne l'humanité d'aujourd'hui et celui qu'offre une caverne de brigands ? La scélératesse est une denrée qui n'a jamais fait défaut sur le marché humain. Il y a pourtant scélératesse et scélératesse. Là encore, il existe une question de style et d'allure. Il y a des jours où l'on a envie de penser que notre époque est celle des petites combines au sein d'un vaste effondrement, de la petite fripouillerie à grande échelle, et des bandits sordides et étriqués au milieu d'un immense brigandage. De l'énorme bouquin de Céline sort une géante impression de sordide et d'étriqué ! On s'englue, on patauge dans l'infini pullulement sordide de la saleté. Ce roman ne laisse même pas cette dernière forme d'optimisme qui est le sentiment de révolte. On le quitte assommé, ahuri et englué irrémédiablement dans une grise atrocité. On ne songe même pas à crier. Où fuir ?...

Il faut bien dire que ce roman, qui procède par le moyen sommaire de l'entassement, révèle en fin de compte un vrai tempérament de romancier. Ses défauts mêmes sont significatifs. Jusqu'à ce départ pénible, tâtonnant, cahoté ; jusqu'à cette lenteur à effectuer la mise en train ! Choses qui se rencontrent presque toujours chez ces grands coureurs de fond que sont les vrais romanciers à qui il ne faut pas demander d'être des champions de vitesse. Pour nous, Français, le roman est peu notre fait. Nous crions toujours au romancier : « Du mouvement ! du mouvement ! », ce qui signifie que nous confondons l'art du roman et l'art de conter. Deux genres voisins et cependant fort différents. Le mot génial sur le roman a été prononcé par Goethe lorsqu'il a dit : « Le roman est le genre de la lenteur. » C'est notre pétulance, notre sang vif et bouillant de Français qui nous incitent à toujours vouloir ramener le roman aux formes classiques du conte. Dynamisme et lenteur, voilà plutôt les deux traits qui sont bien dans la nature du genre. Tel quel, le livre s'impose avec ses verrues, ses taches, ses énormes défauts... Il est inégal et cela saute aux yeux. On dirait qu'il est fait par deux Céline; l'un qui atteint à une puissance rauque, barbare, hallucinée, servie par un argot qui se met parfois à rutiler, à palpiter, à hoqueter, à gueuler et à dégueuler; l'autre a l'air d'un Céline à la manque, d'un Céline déshérité qui fait laborieusement du Céline, qui s'applique à une sorte de poncif du Céline inspiré, en bon élève méthodique et qui fait bâiller. En ces moments, le livre a l'air composé de trucs et d'artifice. Et puis le vrai Céline vous reprend, le Céline avec son ivresse âcre de rancœur, et qui, à la manière de Flaubert fasciné jusqu'à la manie par la bêtise humaine, est envoûté, hypnotisé, halluciné par ce qu'il appelle « la vacherie universelle »...

Voltaire, lorsqu'il examinait l'*Énéide,* reprochait à Virgile d'avoir pris pour héros un personnage trop passif, trop emporté par les événements, pas assez capable de leur imprimer sa marque et de les plier à ses desseins. Nous avons changé cela! Nous aimons jouer les paradoxes les plus évidents. Nous aimons mettre avec quelque perversité artistique, au centre d'un gros roman, un personnage sans ressort, propre comme la girouette sur un toit ou les billes d'ivoire sur le tapis vert. Ce grand barbare de Céline, qui travaille avec délectation dans le rudimentaire est aussi, comme artiste, un « vicelard », voire un « vicelard » raffiné. Il a dû prendre bien du plaisir à jeter au cœur du roman, comme héros, une vraie chiffe, une vraie nouille.

Ce roman, c'est donc *les années d'apprentissage* ou *L'Éducation sentimentale* de Ferdinand, qui est une sorte de Bardamu en herbe! Quelles années d'apprentissage et quelle éducation, grands dieux! Pauvre Ferdinand, qui marche d'écrasement en écrasement sous le poids de la vacherie humaine qui le piétine, il est fait de telle sorte qu'on ne peut même pas lui donner la moindre sympathie! Vous voyez bien qu'il a du métier, ce M. Céline! Je passe sur l'absence de variété. Je passe sur la vision sommaire de l'humanité. Que choisir dans cet immense grouillement? Pas d'hésitation : l'épisode de Nora, la femme du maître de pension anglais! Il faudrait le détacher, en faire un petit livre à part, je lui prédirais un beau succès!

Yanette Delétang-Tardif
[*Cet accident de vivre*]

C'est un livre terrible. En vérité, il n'y a pas de place en lui pour le critique. Il n'y a place pour rien. Je ne vois pas la possibilité de demi-mesures, ni de ces réserves que les uns opposent à sa forme, les autres à son « fond » — d'autres enfin à un désaccord entre forme et esprit, ce dernier donnant la preuve qu'il peut s'exprimer autrement, avec une juste syntaxe, etc. *Mort à crédit* est un bloc, une énorme masse de présence, sans aucune fissure pour nos plus inconscientes finesses « intellectuelles », Dieu merci, c'est ce qui repousse d'abord ceux dont l'esprit vit plus de ruses et d'expédients que d'une possession corps à cœur de la vie. Chercher à concilier notre goût pour les œuvres de la pensée la plus aiguë, la plus nue, les œuvres équilibrées, lentement édifiées dans une matière dure — et celui que nous pouvons avoir pour le monologue tonitruant, l'océanique débordement d'un Céline, c'est affaiblir l'un et l'autre. Que nous aimions des choses inconciliables, c'est là notre vraie « indépendance de l'âme » comme dit Nietzsche, notre « bonne conscience... »

A côté de *Mort à crédit*, le *Voyage au bout de la nuit* est une pâle promenade. Pourtant non. Le choc et le prolongement du « Voyage » surpassent ceux de cette nouvelle lecture. Mais cela est une impression personnelle. D'œuvre à œuvre, l'énormité de *Mort à crédit* dépasse tout ce qu'on a lu jusqu'à elle. Pendant 700 pages, la misère de l'homme

Yanette Delétang-Tardif, « *Mort à crédit*, par L.-F. Céline », *in Les Cahiers du Sud* [Marseille], juillet 1936.

crie, suinte, déborde, rumine, stagne, jure, halète... Le langage — ce langage de Céline, grossier, scandaleux, monotone, pléthorique, magnifique par éclairs, devient pareil à un géant abominablement isolé, englué dans une bourbe sans espace ni temps, sans passé ni devenir. Et un homme est contenu dans ce langage, il y adhère par l'intérieur avec une exactitude de cauchemar — et nous apparaît pourtant, lui, perdu, ballotté, un pauvre enfant voué à d'atroces, minutieuses, torturantes ou grotesques puissances. C'est au fond de cette duplicité que bouillonne la poésie violente de l'œuvre de Céline. Insupportable ? « C'est une vieille superstition de philosophe que de croire que toute musique est musique de sirène », disait encore Nietzsche. Ouvrez le livre au hasard, vous serez rejeté de ce que vous lisez. Le texte se refuse, se hérisse de tout ce qu'il y a de plus sale, de plus abject, s'entoure d'immonde, chose et mot, il est inapprochable, imprenable. Cependant lisez de la page 1 à la page 697, vous êtes pris, pathologiquement pris, peut-être, mais encore de poigne d'homme. Voilà ce qu'on peut répondre à l'objection d'un Céline informe. L'œuvre est au contraire indivisible, formellement enchaînée.

Il est tout à fait impossible de résumer cette épopée du malheur, sinon pour indiquer que nous assistons à l'enfance, puis à l'adolescence du narrateur, Ferdinand, dans l'épouvantable misère qui se serre autour du corps de l'homme, faisant de ses instincts, de ses désirs, de ses songes, une machine à vivre, à vivre malgré tout (ce qui fait que la machine éclate à son tour). Si bien que tout ce qui touche à ce corps, le plus infime, le plus répugnant, le plus intime détail prend une place énorme, la seule possible. Condamner tel ou tel passage, à l'extrême de l'audace, c'est ne pas comprendre qu'il n'y *a pas de loisir,* pas de distance entre l'instinct et son accomplissement, donc pas d'hypocrisie possible. (En passant, je n'aime pas du tout le procédé de censure par les « blancs » remplaçant certains mots et même certains longs passages. Cela fait penser à quelque appât pour collégiens ; c'est rompre le texte par une apparence de perversité qu'il n'a pas, qu'il est beaucoup trop cru, trop direct pour avoir; enfin, c'est ridicule au point où l'on en est!) Comment le drame monte, nous l'entendons dans cette voix qui, encore narratrice au début, s'exaspère peu à peu, jusqu'à ne plus parler que par forme interjective, assenant ses points d'exclamation, cinquante par page, parfois, comme une défense, une résistance de plus en plus urgente, inutile et serrée, le coup d'épaule de l'homme traqué, encerclé. Jamais le langage parlé, l'improvisation de l'organe vocal n'a été réalisé comme par Céline. Quel débit, quelle incontinence! Par moments, nous n'en pouvons plus. Le seul rire peut nerveusement nous sauver de certaines pages (celles du mal de mer dans la traversée de la Manche, par exemple, ou de l'agression de Ferdinand sur son père avec la machine à écrire, ou de l'odyssée du cadavre du suicidé à la fin, et bien d'autres encore, irrésistibles d'horreur). Mais ce n'est pas un rire « d'humour » comme on l'a dit. Qu'est-ce que *Mort à crédit* aurait à faire de notre « humour », de notre pitié, de notre attention même, de nos refus ou de notre adhésion! Et si terriblement humain pourtant... Mais je le répète, pas de place ici pour le spectateur et ses petits jugements. Qu'il ait la force ou le vice de regarder — ou bien qu'il se trouve mal, cet accident de vivre se passera de lui.

Paul Nizan

[*Au royaume des artifices symboliques*]

L'auteur du célèbre *Voyage au bout de la nuit* vient de publier son second roman. C'est l'histoire de l'enfance et de l'adolescence d'un jeune héros nommé Ferdinand, qui,

PAUL NIZAN, « Pour le cinquantenaire du Symbolisme. *Mort à crédit*, par L.-F. Céline », *in L'Humanité* [Paris], 15 juillet 1936; repris *in Pour une nouvelle culture*, © éd. Grasset, 1971.

après diverses expériences dans le magasin de ses parents, dans diverses places, dans une école anglaise, au service d'un étrange inventeur, finit par s'engager dans l'armée.

On y trouvera, affirmés avec autant de puissance et d'abondance systématiques que dans le *Voyage* les partis pris littéraires de Céline. Le livre est d'une obscénité déjà célèbre, qui ne me paraît point gênante parce qu'elle est esthétique. Et c'est justement là-dessus que doit s'engager le débat.

Gustave Lanson, qui régna longtemps sur la science officielle de la littérature, avait eu l'idée universitaire de distinguer à tous les niveaux de l'histoire littéraire des « égarés » et des « attardés ». On ne saisira jamais la signification de Céline si on ne voit en lui un « attardé » de la dernière décade du XIXᵉ siècle, un survivant authentique de la génération symboliste.

On ne s'en rend d'abord point compte parce qu'il remplace les ornements célestes par des ornements excrémentiels, les amours spirituelles par les érotismes des passages de l'Opéra ou des fossés des fortifications. Là où le symboliste des années 90 écrivait azur, M. Céline écrit merde. Le parti pris me semble identique dans l'un et l'autre cas.

Cette esthétique obéit précisément aux lois familières à ces poètes excessifs de l'ère mallarméenne, dont M. Dujardin vient de nous entretenir [1].

Il s'agit toujours de donner de la réalité une représentation totalement symbolique, à travers les écrans déformants d'un langage concerté.

Le travail que Céline fait subir à la matière première du langage n'évoque nullement, comme une publicité ingénieuse voudrait nous le faire croire, la langue de Rabelais qui n'est, au fait, qu'une réussite extrême de la langue *naturelle;* il évoque beaucoup plus la fabrication volontaire de la syntaxe et des mots auxquels se livra Mallarmé. Nous sommes dans le royaume des artifices

---

1. Écrivain et poète d'inspiration symboliste (1861-1949). Le texte mentionné ici n'a pas été identifié. Il ne semble pas qu'il s'agisse du *Monologue intérieur* (1931) *(N.d.E.).*

symboliques. Il n'est pas vrai que l'argot de Céline soit une simple transposition de l'argot authentique : il est un argot réinventé sur des rythmes qui ne sont pas ceux du français populaire parlé. Céline écrit, comme les symbolistes, une langue savante, c'est-à-dire morte.

Quand l'auteur du *Voyage* écrit :

Elle pouvait pas le voir avec son instruction, ses grands scrupules, ses fureurs de nouille, tout son rataplan d'emmerdé,

on pense à René Ghil écrivant :

" Hiératique, imberbe, tout enveloppé de tissus précieusement blancs, en tête la tiare papale, dômale et également blanche... "

Il y a des écrivains qui ont un style et d'autres qui en cherchent un. Il y a un style Rimbaud, il n'y a pas de style Mallarmé. La critique a presque toujours confondu la création d'un style avec la fabrication d'un langage. Il existe une langue célinienne, il n'existe pas de style célinien.

On pourrait commenter longuement ce problème, parce que c'est un problème qui est dans l'air du temps, le problème du style parlé. Il est très remarquable que le roman français s'oriente visiblement vers la recherche d'un style parlé, chez des écrivains comme Giono, comme Aragon et comme Céline. Le même mouvement se produit aux États-Unis, où des écrivains comme Faulkner et Saroyan se livrent à des tentatives parallèles, encore que chez Faulkner il s'agisse peut-être moins d'un style parlé que d'un style pensé.

Céline échoue entièrement dans cette recherche, parce qu'il n'obtient jamais que des effets stéréotypés. Alors que la première partie des *Cloches de Bâle,* d'Aragon, laisse présager la réussite dans ce domaine.

L'échec de Céline me semble éclater dans le fait qu'il rencontre constamment la forme du vers. Et très précisément du vers de huit pieds :

> Dès qu'il avait un instant libre
> Il reluquait chez la Méhon...

> La sirène a tout éveillé
> On s'est cramponné aux waters
> On a émergé des hublots...

> Il endurait l'antipathie,
> Il voulait rien envenimer,
> Il pensait toujours à sa sœur...

> Son mari avait tout perdu
> En voulant s'établir pompier...

On pourrait étendre beaucoup ces exemples et exploiter des effets comiques que Céline n'a sans doute point voulu provoquer. Entendons que la tentation du vers est forte dans le style parlé : *Les Cloches de Bâle* d'Aragon contiennent quelques alexandrins. Ce hasard chez Aragon devient la règle chez Céline, à qui un rythme mécanique s'est imposé. Cette soumission à une machine du langage est très exactement le contraire d'un style...

Le *Voyage au bout de la nuit* annonçait un écrivain qui pouvait être considérable. Le voici qui s'imite déjà. Ferdinand n'est plus que le reflet mort de Bardamu. *Mort à crédit* n'est plus qu'un immense pastiche du *Voyage*. On ne s'occupera pas très longtemps de ce rendez-vous de fantômes.

Le fond n'a pas changé. C'est le même monde sans espoir, hanté par la sexualité, les maladies, la haine, la cruauté, le viol, la mort. De grandes ressources poétiques s'y étouffent sous d'étranges inventions.

Mais on les voit parfois paraître. Elles ne durent pas longtemps.

Ferdinand est dans son école anglaise, au sommet d'une falaise battue par les vents :

On était comme ça nous aussi sur la colline à Rochester. Notre toit, il était pareil. On avait, je suis sûr, des rafales encore beaucoup plus violentes... Les doubles fenêtres en crevaient. Plus tard, c'était l'accalmie, le grand domaine des brouillards... Ça devenait alors tout magique... Ça devenait comme un autre monde... On voyait plus à deux pas autour de soi, au jardin... Y avait plus qu'un nuage, il entrait doucement, doucement dans les pièces...

Les bruits de la ville, du port, montaient, remplissaient l'écho. Surtout ceux de la rivière d'en bas... On aurait dit que le remorqueur il arrivait en plein jardin... On l'entendait même souffler derrière la maison. Il revenait encore... Il repartait dans la vallée... Tous les sifflements du chemin de fer, ils s'enroulaient en serpentins à travers les buées du ciel... C'était un royaume de fantômes... Il fallait même rentrer vite... On serait tombé de la falaise...

Une courte philosophie des impasses s'exprime dans quelques lignes :

— La vraie haine, elle vient du fond, elle vient de la jeunesse, perdue au boulot sans défense. Alors celle-là qu'on en crève. Y en aura encore si profond qu'il en restera tout de même partout. Il en jutera sur la terre assez pour qu'elle empoisonne, qu'il pousse plus dessus que des vacheries, entre des morts, entre des hommes.

C'est assez la philosophie de Ravachol : elle ne va pas loin.

Il y avait dans le *Voyage* une inoubliable dénonciation de la guerre, des colonies. Céline ne dénonce plus aujourd'hui que les pauvres et les vaincus.

Il a exprimé une seule fois sa pensée sur un thème politique, il a daigné sortir de ce rabâchage déchirant, de sa rumination de lui-même : comme cette pensée est révoltante, il faut bien la citer :

Le capital et ses lois, elle les avait compris Mireille... Qu'elle avait pas encore ses règles. Au camp des Pupilles, à Marly-sur-Oise, on y trouvait de la branlette, du bon air et des beaux discours. Elle s'était bien développée. Le jour annuel des Fédérés, elle faisait honneur au Patronage, c'est elle qui brandissait Lénine, tout en haut d'une gaule, de la Courtine au Père-Lachaise. Les bourriques en revenaient pas tellement qu'elle était crâneuse...

Les recherches esthétiques de M. Céline, cet art pour l'art auquel il n'est pas moins fidèle que les poètes de 1880, la déformation systématique du monde à quoi il consacre ses dons, n'empêchent tout de même pas l'auteur du *Voyage* de jeter au passage, comme les écrivains vraiment distingués, quelques injures à la Révolution, et de faire une prostituée du seul personnage communiste auquel il fasse allusion.

Désespéré et amer, et révolté, et revenu de tout et pur — mais pas au point, tout de même, de négliger les affaires et d'oublier de faire rêver le client en laissant en blanc les passages les plus obscènes de son livre.

M. Céline a écrit à la dernière page de son livre :

J'aime mieux raconter des histoires. J'en raconterai de telles qu'ils reviendront après pour me tuer des quatre coins du monde.

M. Céline se vante. On n'a jamais eu envie de tuer que les hommes qui disent la vérité. Et M. Céline est comme tant d'autres : il fait seulement semblant de dire la vérité. Mais il ment. Les gens bien achèteront ses livres. On ne le tuera pas.

Pierre Scize
Ceux qui n'aiment pas Céline

[...]

Ceux qui n'aiment pas Céline? Ah! comme je les reconnais bien, tous. C'est l'innombrable troupeau de ceux qui acceptent tout de cette vie, que rien ne révolte, qui composent avec toutes les saletés, pactisent avec toutes les injustices. Ce sont les quiets, les résignés, les tièdes — ce vomissement de Dieu! — ce sont les satisfaits, les béats, les pourvus.

PIERRE SCIZE, « Ceux qui n'aiment pas Céline », *in Le Merle blanc* [Paris], 19 septembre 1936.

Tout, ils acceptent tout d'une société marâtre, ils acceptent la guerre, la misère, le taudis, la sottise triomphante écrasant, de son ventre immonde, la face auguste du pauvre exposée aux crachats, l'enfance pourrie, la vieillesse déshonorée. Tout vous dis-je !

Pourvu qu'ils aient leur pitance, leur niche, leurs chiennes pour apaiser ces maigres fringales qu'ils osent appeler leur désir ! Pourvu que sur toutes les plaies et toutes les sentines l'optimisme jette son voile rose, couleur de vomi.

Céline, lui, est de la race de ceux qui n'acceptent rien, qui regimbent, protestent, gueulent, hurlent, avec, quand même, la vague idée que ça finira bien par s'entendre.

Ferdinand a cessé de se taire. Il pousse un cri. Il pousse un cri désespéré, haché de hoquets et de grands rires fous. Il veut tout montrer, tout le panier, dessus, dessous. La fleur et la merde. Et la merde surtout, parce qu'il a le sens des proportions.

Ce livre [*Mort à crédit*] furieux, qui gronde, cataracte, frappe comme un bélier, on n'a jamais fini d'en faire le tour, de le mesurer. C'est une œuvre satanique, s'il est vrai que l'enfer n'est que la privation de l'espoir. C'est un grand : « Non ! » vociféré à toutes les questions que pose la vie. Nous rôdons tous autour de lui dans son ombre, comme des pucerons au pied d'un édifice dont nous n'entrevoyons point le sommet. Je pense qu'il faudra des siècles pour le mesurer et le connaître. Car on n'a pas encore fait le tour de *Pantagruel* et du *Quichotte*. Et l'on voudrait avoir une opinion sur le Céline !

J'écris tout cela aujourd'hui, en hâte. Car demain peut-être je l'écrirais de moins bon cœur. Voici pourquoi.

La dame de l'ambassade était bien renseignée. Céline est en Russie. L'un de nous l'a vu à Leningrad. Il a vu un furieux.

Certes, on n'espérait pas que le formidable négateur du *Voyage* serait soudain transformé en Beni-oui-oui, par la grâce du socialisme constructif. Un Céline jusqu'à sa mort crachera sur l'humanité, qui le mérite et qui le lui rend bien.

C'est ainsi. Tout s'insurge chez lui, contre nos sociétés humaines, et la forme donnée à l'édifice importe peu. Son seul mal, c'est d'être au monde. Il refuse tout. Dans un désert, seul sur une île de corail, il détesterait encore l'homme.

Il est clair, il est probable que toute la colère qui l'agite présentement contre l'ordre et la discipline de la construction communiste, va se donner carrière, d'une manière ou d'une autre. Non moins clair que nos ennemis d'aujourd'hui se forgeront des armes contre nous en puisant dans son arsenal. Soit. J'ai voulu, pendant qu'il n'y a encore rien entre nous, lui tirer ici mon chapeau.

Céline, vous pourrez bien désormais dire et faire tout ce que vous voudrez. Vous avez donné une voix au désespoir humain. Une voix qui ne se taira plus. Pour nous qui espérons quand même, ayant entendu votre cri, nous allons travailler — sans vous? Tant pis. Tant pis pour vous! — à donner à la Société des hommes un visage moins lugubre, un aspect moins sordide. Même si vous condamnez notre effort, je vous le dis : « Vous nous aurez aidé à l'entreprendre. »

Moscou, 10 septembre [1936].

II. UNE CRITIQUE
A CONTRETEMPS (1936-1951)

1936-1939. Céline, en décembre 1936 avec *Mea culpa,* rompait l'écran protecteur de la fiction romanesque, acceptait des sollicitations extérieures immédiates. Dès l'épigraphe, il provoquait : « Il me manque encore quelques haines. Je suis certain qu'elles existent. » Ce n'est que l'écume de ce cri que les plus attentifs ont retenue.

Curieusement, l'abondant dossier de presse de *Bagatelles pour un massacre* ne présente pas le clivage politique que l'on a supposé depuis. L'antisémitisme célinien se dilue en appréciations tendancieuses ou contraintes et si les polémiques sont vives c'est surtout entre gens de même bord. Acceptation ou refus, ce sont bien souvent les deux versions d'un même oracle.

Il faudra attendre *L'École des cadavres* pour que Céline soit ou rejeté ou — mais avec des nuances parfois suspectes — revendiqué, accepté, voire seulement toléré. Les jugements plus sereins, quand ils existent, ramènent l'œuvre à la duplicité dénoncée dès *Voyage au bout de la nuit.*

Jean-Pierre Maxence

[*Il ne s'agit pas d'une analyse, mais d'un cri*]

La Russie soviétique, ces temps-ci, n'a pas de chance avec les écrivains français. Il fut une époque, celle qui vit paraître les reportages de M. Luc Durtain et de M. Georges Duhamel, où l'U.R.S.S. recueillait des louanges parfois

JEAN-PIERRE MAXENCE, « L.-F. Céline : *Mea culpa* », *in Gringoire* [Paris], 29 janvier 1937.

enthousiastes de quelques voyageurs plus lettrés que clair-
voyants. Aujourd'hui, au contraire, en des manières aussi
diverses que peuvent l'être les tempéraments, les condamna-
tions affluent. On a défini ici même la portée du petit livre
de M. Gide. Les injures que vient de lui adresser Romain
Rolland ne font que renforcer sa position. M. Roland
Dorgelès, lui aussi de retour, a dressé contre les Soviets un
réquisitoire aussi implacable que documenté. Quant à
M. Louis-Ferdinand Céline, il confesse dans *Mea culpa*
ses illusions et son erreur. Il le fait en trente pages denses,
ramassées, fulgurantes, qui sont sûrement parmi les meilleures qu'il ait publiées. « *Il me manque encore quelques
haines,* note l'auteur en épigraphe, *je suis certain qu'elles
existent.* » Il peut être tranquille, les Jean Cassou et les
Louis Aragon ne lui pardonneront pas ce courage. Qu'importe, puisque lui resteront quelques hommes libres !...

Pour nous, notre position à l'égard de M. Louis-Ferdinand Céline n'a pas changé. Nous restons convaincus que
son style lyrique et scatologique tout ensemble convient
mal au roman. Dans un flot verbal tantôt magnifique,
tantôt rocailleux, les traits des personnages s'estompent,
la poésie de certaines visions hallucinatoires elle-même se
dissout. A propos de *Mort à crédit,* nous souhaitions voir
M. Céline nous donner un ouvrage plus bref. *Mea culpa*
jusqu'à l'excès peut-être, comble nos vœux.

Il ne s'agit pas d'une étude, mais d'un témoignage. Il ne
s'agit pas d'une analyse, mais d'un cri. Si parfois, au cours
d'un développement lyrique, M. Céline donne une raison
ou évoque un fait, là n'est pas l'essentiel de ses propos.
Mea culpa, par le contenu comme par la forme, est un
ouvrage inclassable. J'imagine que si Péguy était encore
parmi nous, il eût considéré ces vingt pages comme le
cahier-type. D'un événement contemporain, d'une souffrance présente, M. Céline remonte à l'éternel et met en
cause la nature et l'homme. Péguy aimait ces sortes de
retours ! Dieu sait pourtant si son optimisme chrétien est à
l'opposé du jansénisme de M. Céline. Mais Péguy savait,
chez un adversaire de ses plus chères idées, saluer la grandeur.

Car M. Céline, qui sans doute s'embarrasse peu de disputes théologiques, est un janséniste qui s'ignore. Un janséniste radical, absolu, total. Pour lui comme pour Arnaud, l'homme est foncièrement corrompu. Bien plus, il y a chez M. Céline une haine de l'homme qu'on ne trouvait point à Port-Royal. Voyez le ton de sa première page :

Ce qui séduit dans le communisme, l'immense avantage à vrai dire, c'est qu'il va nous démasquer l'Homme, enfin ! Ça va finir l'imposture ! En l'air l'abomination ! Brise tes chaînes, Popu ! Redresse-toi, Dandin !... Ça peut pas durer toujours ! Qu'on te voye enfin !

Inutile de dire que M. Céline ne voit pas en beau celui qu'il interpelle si rudement. Le communisme, pour lui, c'est l'échec de l'homme. Là, plus d'excuses sociales, plus de prétextes, plus d'arguties. La corruption qui subsiste et s'étend là-bas, c'est bien la corruption de l'homme.

Au polémiste, il ne faut pas réclamer des nuances. Et si nous rappelions à M. Céline la vieille notion chrétienne du péché originel, équilibré par le rachat, il nous entendrait mal. Nous écouterait-il même, tant il fonce ? Quant au reste, inutile de lui rappeler que c'est le rôle d'une Société juste et valable de protéger l'homme contre l'homme, que toute la civilisation n'est que cela ! Le jansénisme de M. Céline débouche, en effet, sur l'anarchie. L'homme radicalement corrompu, il n'y a plus qu'à se saouler de haine, qu'à tout confondre dans le même mépris.

Pour qu'il change (l'homme), il faudrait le dresser ! Est-il dressable ? Ce n'est pas un système qui le dressera ! Il s'arrangera presque toujours pour éluder tous les contrôles !... Parler morale n'engage à rien ! Ça pose un homme, ça le dissimule. Tous les fumiers sont prédicants... Le programme du communisme ? Malgré les dénégations : extrêmement matérialiste ! Revendication d'une brute à l'usage des brutes !... Bouffer ! Regardez la gueule du gros Marx, bouffi ! Et encore, s'ils bouffaient, mais c'est tout le contraire qui se passe ! Le peuple est roi ! Le roi la saute ! Il a tout ! Il manque de chemise !...

65

La page ne manque pas de grandeur en dépit de l'impression irritante que laisse l'abus des phrases exclamatives. Et puis, là, M. Céline touche au fait, et, sur le fait, son témoignage est particulièrement précieux et net.

La Russie soviétique vit sous le régime de la pire, de la plus féroce oppression, M. Gide nous l'avait déjà confié. L'actuel procès des trotskistes le montre avec éclat. M. Dorgelès, dans son reportage, le signale avec force. M. Céline, lui, le crie.

Il ne s'agit pas seulement d'une tyrannie gouvernementale et policière, de cette tyrannie qui est commune à tous les États totalitaires. Ici, c'est tout le système qui étouffe les personnes, les nivelle, les enrégimente, et leur interdit de penser.

Pour l'esprit, pour la joie en Russie, il y a la mécanique, note Céline. On en rajoute. On en recommande. On en fait péter des soupapes. Je suis, nous sommes dans *la ligne!* Vive la grande relève! Pas un boulon qui nous manque! L'ordre arrive du fond des bureaux. Toute la sauce sur les machines! Tous les bobards disponibles! Pendant ce temps-là, ils ne penseront pas!...

Je ne crois pas qu'on ait rien écrit de plus terrible et de plus juste sur la condition humaine en U.R.S.S.

Ce qui, en effet, me semble capital dans le témoignage de M. Louis-Ferdinand Céline, c'est qu'il ne porte pas seulement sur tels faits, telles misères, tels abus, si symptomatiques fussent-ils, mais sur l'ensemble et sur l'esprit. L'homme est misérable en U.R.S.S., il est opprimé, il est vaincu?... Nous le savions. Mais ce qu'il faut relever clairement, c'est qu'il n'est si opprimé si misérable, tellement vaincu, que parce que là-bas règne le marxisme. Une doctrine inhumaine lorsqu'elle se trouve appliquée fait des morts, des cadavres et des morts vivants! Qu'on ne s'y trompe pas. Il ne s'agit pas seulement de condamner l'U.R.S.S., ou le stalinisme, ou telle institution de là-bas. Ce qui sombre dans l'immonde catastrophe, c'est un esprit, le matérialisme historique, et une doctrine, la doctrine marxiste. On sait gré à M. Louis-Ferdinand Céline de l'affirmer, le désespoir au cœur peut-être, mais avec éclat.

Robert Brasillach
[« *La Révolte des indigènes* »]

Il y a un livre dont on ne dira pas un mot à la radio. Il y a un livre dont les journaux bien-pensants ne parleront pas, ou bien auquel ils feront allusion en termes distingués et réprobateurs. Il y a un livre dont les feuilles de gauche ne diront rien, ou peut-être, pour les plus maladroites, quelques mots méprisants. Il y a un livre dont il est bien possible qu'on entrave la mise en vente, la diffusion. Il y a un livre contre lequel va s'établir la conspiration du silence plus encore que celle de l'attaque. Ne serait-il pas d'une criante injustice que nous n'en signalions pas tout d'abord, et avant toute réserve, la verdeur, le courage, la fougue? C'est l'énorme volume du célèbre auteur du *Voyage au bout de la nuit*, c'est *Bagatelles pour un massacre*. Avouons-le tout net : on peut s'en choquer, on peut s'en fatiguer, on peut le déclarer illisible ou idiot, il est impossible qu'un Français né Français n'en lise pas au moins quelques pages avec soulagement. Pour ma part, qui ne suis ni admirateur forcené de M. Céline (*Mort à crédit* m'avait fort ennuyé), ni buveur de sang, ni même terriblement passionné d'anti-sémitisme, je dois dire que tout d'abord, je me suis royalement amusé. Et c'est la grâce que je vous souhaite.

On commence par être légèrement « estomaqué ». M. Céline prend le départ, comme toujours, dans l'invective, et ce qu'il a lui-même nommé quelque part « le lyrisme ordurier ». Pendant quatre cents pages, on se demande : va-t-il pouvoir s'arrêter? Va-t-il pouvoir même changer de ton? Mais non! Sans progression, sans défaillance mais sans montée, il reste sur le même registre. Ce

Robert Brasillach, « L.-F. Céline : *Bagatelles pour un massacre* », *in L'Action française* [Paris], 13 janvier 1938; repris *in Les Quatre jeudis*, éd. Balzac, 1944 et *Œuvres complètes*, tome 8 © Club de l'Honnête Homme, 1964.

sont quatre cents pages d'invectives, quatre cents pages grand format d'injures, un véritable tombereau, que dis-je, un raz de marée d'ordures contre les nouveaux ennemis que le pamphlétaire s'est découverts, je veux dire contre Israël. Littérature, politique, cinéma, théâtre, communisme, finance, tout y passe. Les Juifs, les Juifs partout, dans une obsession monotone, gigantesque, dont le moins prévenu finit par être saisi.

Je sais bien ce que me diront les personnes raisonnables, et j'avoue que dans le cours de ce livre j'ai eu souvent envie de me ranger parmi elles : « M. Céline exagère. Il gâcherait les meilleures causes. On peut soutenir un antisémitisme de raison, mais non un antisémitisme animal, un antisémitisme de violence. Les Juifs chercheront dans ce livre et trouveront vite les meilleurs arguments contre ceux qui les attaquent. » Et je suis bien, en principe, de leur avis. Je sais très bien tous les excès de cet ouvrage. Mais quoi ! Quand on désire fréquenter un lion, on ne lui donne pas à manger des épinards. Et ma foi, le temps de cette lecture, je n'ai aucun regret de fréquenter M. Céline.

Certes, il exagère. Son tableau de la littérature est faux, et bien digne d'un homme de lettres, pourvu de tous les travers de l'espèce. Il y a toujours eu un précieux, malgré l'apparence, chez M. Céline : son titre le prouve bien, ainsi que ses descriptions de ballets symboliques, qui ouvrent et ferment le livre. C'est le Giraudoux de la vidange. Et puis, sa hantise sémitique lui fait voir des Juifs partout. Les critiques ? Tous Juifs ou enjuivés ! Les auteurs célèbres ? Tous Juifs ! Cézanne ? Un juif ! Racine ? Un Juif encore ! (Cela est dit en toutes lettres, et M. Céline analyse l'esprit sémitique de Racine !) Le pape, l'Église, les curés ? Des Juifs ! Les rois de France ? « Vous ne trouvez pas qu'ils ont un drôle de nez ? » Il est bien évident qu'on aurait quelque peine à discuter avec sérieux de la question juive à qui s'appuierait sur de pareilles opinions. Et je ne nie pas que de tels excès ne nuisent, après tout, un peu plus sérieusement que l'auteur ne le croit, à la cause qu'il prétend défendre. Si je raisonnais comme lui, je pourrais (avec une verve ordurière moins grande, j'en conviens) affirmer que cet ouvrage, dans ses outrances, a été composé par un certain Celinemann, dit Céline, afin de déconsidérer les antisémites — exactement comme les Juifs disent que les *Protocoles des Sages de Sion* ont été fabriqués par la police tsariste pour déconsidérer Israël.

Mais ce n'est pas tout à fait ainsi qu'il faut considérer ce livre. Tout d'abord, il est rempli de détails saisissants (empruntés par exemple, à *L'Univers israélite*), de petits faits qui feront réfléchir. En veut-on un? Afin de défendre le sionisme, Lloyd George déclara, en 1936 : « En 1917, l'armée française se mutina, l'Italie était défaite, la Russie mûre pour la révolution et l'Amérique n'était pas encore rangée de notre côté... *De tous côtés, nous arrivait l'information qu'il était d'une importance vitale, pour les alliés, d'avoir le soutien de la communauté juive.* » Moi, j'avoue qu'une phrase pareille me fait froid dans le dos.

Et quant aux projets de M. Céline, ils sont presque toujours présentés sous une forme bouffonne, outrancière, qui ne doit pas nous empêcher d'en voir le sérieux profond. [...]

Ne nous hâtons donc pas de hausser les épaules en parcourant ces pages. Parmi les idées les plus absurdes, les plus cocasses en apparence, il y a parfois une grande vérité cachée, mais cachée sous le rire de Rabelais. Les projets d'urbanisme de M. Céline (la vraie banlieue d'une grande ville comme Paris, c'est la mer) ne sont pas ridicules, mais sains, mais exacts, mais louables. Et ses invectives contre l'Exposition, pour être composées en un style qui manque d'élégance bourgeoise, finissent par prendre une allure quasi grandiose, comme les invectives du Père Ubu. Je trouve même que le rythme de M. Céline, qui m'avait toujours paru un peu mou (oh! cet abus des points de suspension!) a pris une force assez magnifique :

L'Exposition des Arts et Techniques, c'est l'exposition juive 1937. Il faut que la France entière vienne admirer le génie youtre, se prosterne juif, saucissonne juif, trinque juif, paye juif!

Lisez ce livre, faites-le lire, il vous apportera joie et consolation.

Certes, quand il sera temps de construire, nous aurons peut-être d'autres solutions de la question juive. Nous en connaissons déjà, qui sont à la fois raisonnables pour notre patrie, et justes, et charitables. Il est à peine besoin de dire, malgré ce que prétendent nos ennemis, que nous ne sommes prêts à organiser scientifiquement aucun pogrom. Mais il y a un mot assez frappant dans le livre de M. Céline, ce livre dont il va être interdit de parler. Il nous annonce ses invectives comme une sorte de « révolte des indigènes ». Et je pense à ces villes arabes, toujours jouxtées d'une ville juive, et qui, parfois, un jour de colère populaire, se jettent avec furie dans le mellah et le pillent. Nous ne désirons aucune violence. Mais quand on a eu un premier ministre juif, quand on voit, clairement et simplement, la France dominée par les Juifs, il faut aussi comprendre comment on prépare cette violence, et ce qui l'explique. Je ne dis même pas : ce qui la légitime, je dis : ce qui l'explique. Ayez toutes les opinions que vous voudrez sur les Juifs et sur M. Céline. Nous ne sommes pas d'accord avec lui sur tous les points, loin de là. Mais on vous le dit : ce livre énorme, ce livre magnifique, c'est le premier signal de « la révolte des indigènes ». Trouvez cette révolte excessive, plus instinctive que raisonnable, dangereuse même : après tout, les indigènes, c'est nous.

Georges Zérapha
Le cauchemar du hibou

J'ai été un défenseur du Céline du *Voyage au bout de la nuit*. Tant d'exaspération à cause de la bassesse du

Georges Zérapha, « Le cauchemar du hibou. A propos de *Bagatelles pour un massacre* de L.-F. Céline », *in La Conscience des Juifs* [Paris], février-mars 1938.

monde moderne, où tous vivent comme poissons dans l'eau, tant d'écorchures, de blessures, n'indiquaient-elles pas chez l'auteur de nobles aspirations?

Des doutes m'ont assailli à la lecture de *Mort à crédit,* doutes sur sa probité professionnelle, provoqués par des artifices trop grossiers, certitude sur sa réelle infamie, devant le portrait qu'il avait fait de sa mère.

Aujourd'hui, sans nier le talent de l'écrivain, je me vois obligé, à cause de son dernier livre, *Bagatelles pour un massacre,* de juger l'homme avec moins d'indulgence.

Il est sincère, sans doute, mais à la manière allemande ou russe : on se frappe la poitrine, on étale ses vices, on se condamne — au besoin, tels les accusés des procès de Moscou, on en rajoute — mais, à la prochaine occasion, on recommence avec le même ravissement ou la même horreur sacrée.

Ces confessions permettent à des virtuoses de l'art quelques tableaux réussis. L'esthétisme y trouve sa part, non l'éthique. Céline se complaît aux vices, se complaît à leur description, et décrit avec une complaisance encore accrue l'ignominie de ses propres descriptions. Cette activité, qui tourne en cercle, relève de la décadence artistique et éthique, de l'impuissance humaine.

L'art est un témoignage de la vie. En art, la fin justifie les moyens; c'est dire que les moyens de Céline ne sont pas exclus. Mais Céline n'est ni un penseur, ni un homme d'action, ni un moraliste. Sa mission est de témoignage authentique. Certains écrivains se croient doués pour toute écriture, comme si le fait de donner des ordres à sa cuisinière permettait à quiconque de rédiger le bulletin de la bataille de la Marne. Céline est un artiste : qu'il fasse de l'art; rien d'autre.

Mais l'art de l'écrivain ne réside pas dans la virtuosité verbale. Certains atteignent à l'art le plus sublime en utilisant une langue pauvre, d'autres restent incapables de saisir le vif avec la plus extraordinaire abondance de mots et la plus sûre maîtrise de leurs agencements.

Les critiques élogieuses de Daudet et de Rivet

démontrent à quel point ils sont de purs esthètes. Comparer le dernier livre de Céline à une géniale satire, c'est méconnaître la satire. La satire est un genre honorable qui veut plus que de la virtuosité verbale. Le talent de Léon Daudet, non comme satiriste, mais comme polémiste vient de la vérité de certaines de ses formules et non de leur préciosité. Chez Céline polémiste et satiriste, rien d'original ou de neuf dans les vues; l'outrance de l'expression n'en masque pas la pauvreté.

Que dire de la critique de Rivet? Il prétend séparer les mots de leur signification : « Je ne suis ni antisémite, ni anticommuniste, ni antimaçon »... Une pareille thèse illustre la critique de Céline sur certaines tendances de la littérature contemporaine à se séparer de la vie. Elle marque la limite la plus extrême de l'esthétisme décadent. Pourquoi pas la *contrepèterie?*

Ce malheureux Céline, pour avoir trahi son propre génie, se sera vu louanger par ceux mêmes qu'il considère comme les plus grands niais. Cette aventure vient de sa faiblesse, de sa lâcheté, des tares mêmes qui firent son succès.

Seul l'art est capable de témoigner, c'est-à-dire de convaincre. La démonstration d'un monde pourri par le virus juif devait découler de sa propre peinture et non d'une thèse. Proust, artiste génial et authentique a témoigné des Juifs, dans son œuvre, et avec quelle maîtrise! Les personnages de Bloch et de Swann sont criants de vérité.

Or, dans le seul domaine qui lui fut propre celui de l'art, dans son œuvre la mieux réussie, le *Voyage au bout de la nuit* et dans le livre qui suivit, Céline ne nous a jamais présenté un seul Juif. Toutes ses affirmations sur la pseudo-domination juive sont contredites, dans son dernier ouvrage par la simple présentation d'un Juif réel, Gutmann, qui est son ami, qui n'est pourvu d'aucune des prétendues tares juives, et chez qui nous n'apercevons aucun pouvoir spécial de corruption ou de domination. L'amitié de Céline pour ce personnage, et l'absence de

Juifs dans son œuvre antérieure, détruisent le seul argument positif des antisémites qui soit irréfutable : « Je ne peux pas sentir l'odeur des Juifs. »

On ne discute pas des goûts : celui qui ne peut pas sentir l'odeur des chiens n'a pas de chien. Celui qui ne peut pas sentir l'odeur des Juifs n'a pas d'ami Juif. Pourquoi l'odeur de ce seul Juif, Gutmann, serait-elle différente ?

Nous touchons ici la preuve du caractère métaphysique de l'antisémitisme en général, et de celui de Céline en particulier. Le corrupteur, le dominateur n'est pas le Juif concret qui, selon les affinités particulières bénéficie toujours d'une grâce exceptionnelle auprès des antisémites ; le maudit, c'est le Juif symbolique, l'entité juive ; c'est, comme nous le verrons plus loin : le diable.

Le succès a perdu ce cœur en désarroi.

Dans son dernier livre, Céline, écrivain en renom, parle haut, dit leur fait aux critiques, nous entretient de ses goûts littéraires ou artistiques, de ses conceptions urbanistes ou politico-sociales, tranche du style, de « l'émotion directe », règle leur compte à ses insulteurs. Ce n'est plus le Charlot tragique, apocalyptique, c'est le Monsieur Céline que d'obscurs critiques se sont permis de ne pas admirer, qui déverse ses précieux conseils sur l'Art et la Politique. C'est le héros Destouches, décoré de la Médaille militaire, c'est l'Aryen, brave à la guerre, etc., etc. Enfin, si vous voulez m'en croire, quelqu'un de bien-pensant, de bien-disant, de bien-faisant, et qui, comme les autres, finira académicien.

Notre sympathie bouleversée, pour le Céline du *Voyage* venait de ce qu'il y représentait le pauvre type, la victime d'un Occident féroce et sordide. Notre sympathie allait au désespoir et à la faiblesse.

Nous avions, certes, été choqués par tant de faiblesse : la faiblesse exclut la générosité. Dans le *Voyage au bout de la nuit*, il n'y a aucun personnage ferme. Mais la littérature française nous avait si peu habitués au spectacle de la défaite que nous avons applaudi. Nous n'avons pas applaudi par goût de l'effondrement, du dégonflage, mais parce que ces vérités partielles nous soulageaient, nous reposaient des vantardises égotistes et des hypocrisies bien-pensantes. Enfin! un homme s'avouait lâche, mufle, lubrique et stupide...

Mais avouer sa vilenie, est-ce révéler son courage ou son impudeur?

On a dit de Céline qu'il était un anarchiste. Il est anarchique, c'est-à-dire le contraire. L'anarchiste, c'est le petit paysan français, qui n'a besoin de personne, parce qu'il trouve, ou croit trouver en lui-même un équilibre moral et économique : il repousse à coup de fusil toute intrusion de l'État ou du voisin. Anarchisme conservateur et terrien, source même de l'indépendance et de l'individualisme de certains intellectuels français.

Céline est anarchique, à la manière russe ou allemande. Ballotté comme une masse molle et inerte par toutes les forces économiques, il est une proie flasque à toutes les tentations charnelles.

Le sens de la liberté individuelle requiert une connaissance innée des limites dans l'aventure et dans la résistance. C'est pourquoi les Allemands et les Russes ont besoin d'une discipline extérieure : hommes de dynamisme, et non d'action, ils sont irresponsables par définition. Ils travaillent, ils obéissent, ils commandent, ils aiment, ils haïssent sans mesure humaine et sans discernement. Ils ne résistent à aucun courant. Et lorsque ce courant les entraîne hors des limites d'une morale humaine vers une abstraction de vertu ou de vice, ils ne sauraient se reconnaître comme responsables, n'ayant été que des apologistes. Céline, lui, est un contre-apologiste. Ni l'un ni l'autre ne sont des critiques.

La pierre qui roule sur la pente n'est pas responsable de sa chute. Les excès d'immoralité artificiels et intellectuels de l'Allemagne Weimarienne ou Hitlérienne auraient-ils pu être constatés dans un pays comme le nôtre?

Ainsi de Céline. Il enfourche son cheval, le pousse au galop jusqu'à ce qu'il crève. Pas de guides, pas de frein, pas de ménagements. La cravache, le paroxysme, la folie. Rien n'est plus opposé à la vie, qui crée son harmonie des contradictions surmontées, que cette insanité progressive, sorte de table des nombres ou de danse barbare. Le délire et l'épuisement, deux formes sacrées de l'abrutissement. Ce délire n'est pas exempt de lyrisme. On ne peut nier au *Voyage* de surprenants effets : Céline se révèle parfois comme un des grands poètes de la faillite et de la lâcheté humaine. Les récits de l'incendie de la case dans la forêt africaine *(Voyage au bout de la nuit)*, de la retraite dans le village abandonné *(Mort à crédit)* évoquent des défaillances morales, des abandons, des trahisons de soi-même, des veuleries comme on en rencontre rarement chez les occidentaux.

Mais alors que chez Péguy, par exemple, la répétition est scrupule, chez Céline l'exagération des mots et des gestes relève du supplice chinois et fouaille la chair du lecteur qui a envie de crier : « Assez ! ». Céline est lâche, même avec son art. Il sait que les actes et les mots crient : « Grâce ! », que c'en est trop d'ignominies et de puanteur. Il sait qu'une abjection authentique s'arrête là ; mais comme tous les lâches, c'est à ce moment, où commence le supplice, que naît sa volupté ; alors, sadiquement, pour achever le vaincu et l'humilier, il remet des mots, des ordures, des actes, il ajoute, il ajoute jusqu'à l'infini, comme s'il voulait s'anéantir dans la progression.

Céline ne devait pas échapper au destin des lâches et des anarchiques. Il cherche un maître qui le flagellerait pour le guider dans son désarroi. Comme tous ceux qui cherchent un maître, ne l'ayant trouvé ni en eux-mêmes, ni en une quelconque foi, comme tous les irresponsables, il dégage sa propre responsabilité. N'ayant vu, dans le monde moderne, que des horreurs, il n'a eu le courage ni de se tuer ni de continuer à vivre contre ces horreurs qui sont la matière première de son art et lui ont procuré gloire et vanité.

Il est si lâche qu'il a peur d'aimer. Jamais un tel aveu de pleutrerie n'était sorti de l'âme d'un homme; jamais on n'avait avoué une telle inaptitude à vivre. Mais Céline, qui a peur d'aimer, semble n'avoir pas peur de haïr.

Quand on hait réellement un Juif réel, on n'appelle pas les autres au massacre. On y va soi-même. La haine, comme l'amour, quand ils sont authentiques, acceptent tous les risques. Si Céline pousse au massacre des Juifs sans frapper lui-même, c'est donc qu'il ne les haït point assez, ou qu'il est un lâche, ou qu'on se trouve en présence du jaillissement irresponsable d'une âme malade vers un fantôme.

Nous supposons qu'une nuit d'orage, Céline, saisi soudain par les sorcières, a vécu l'affreux cauchemar d'une rencontre avec le diable. Jusqu'alors il avait vécu passivement, dans sa longue nuit, les turpitudes d'un hibou vicieux. Il avait décrit le mouvement de ces viscosités dans lesquelles il était embourbé mais il n'en avait pas pénétré le mystère agissant. Subitement, dans son cauchemar il en a eu la diabolique révélation. Et lui qui n'était habitué qu'aux contacts répugnants n'a pu supporter la terreur de cette vision. C'est qu'il se trouvait en présence de l'esprit du mal : il lui fallait vivre, comme chacun de nous, en compagnie du diable, et en lutte avec lui.

Dépeindre sa pourriture et celle du monde est une activité qui doit aboutir à une conclusion morale. Il n'y a pas de conscience authentique du péché sans exigence de punition ou de rédemption. Cette exigence, Céline l'a inconsciemment ressentie. Tant de turpitudes appelaient les punitions et les redressements nécessaires. La visite du diable n'était qu'un règlement de comptes.

Lâche, comme à son habitude, il a fui le combat. Ayant vu le mal jusqu'alors en victime inconsciente, sans y associer sa propre responsabilité, il a voulu se dérober. C'est alors que, surgissant du fond des âges, le mythe moyenâgeux du Juif-incarnation du diable est venu le secourir.

Dans la nuit d'orage, seul avec les sorcières — sans amour de femme, d'enfant ou de parents — cet homme qui a tout flétri, tout avili, s'est réveillé, la sueur froide aux tempes; il a hurlé d'angoisse : « A moi! les Aryens! Sauvez-moi du diable Juif! Exterminez-le! »

Le cri d'un fou terrorisé n'est que l'expression de sa folie et de sa terreur. Ne cherchons dans ce cri ni art, ni pensée, ni vérité, ni raison, ni élégance; aucun sentiment, aucun effort. Le cri d'un fou hanté par le diable ressemble aux autres cris poussés par les mêmes fous. La lecture du journal allemand *Le Sturmer* est hallucinante comme une vision d'enfer.

Céline, en pleine crise, a rempli quelque trois cents pages de ses cris d'angoisse et de peur. Il a écrit n'importe quoi : tous les ragots de l'antisémitisme hitlérien, et ceux qu'il s'était procurés en hâte dans les plus louches officines antisémitiques françaises (de Vries, Centre Darquier de Pellepoix, etc.).

Examinons ses réflexes doctrinaux : nous y trouvons intégralement toutes les thèses d'Hitler.

Le mythe moral de la substitution des responsabilités aboutit à la bonne conscience systématique : l'anarchie individuelle dans la pensée et dans les mœurs interdit la liberté politique et la liberté morale. L'individu qui ne sait user de la chair sans en abuser tombe dans l'excès d'abstinence ou de saturation. Toute tentation devient souffrance parce que toute jouissance devient risque. Obsédés, anormaux sexuels, chez qui tout contact s'accompagne des menaces de l'enfer appellent un ordre social qui les protégerait d'eux-mêmes, c'est-à-dire exclusif de toute tentation. Car les tentations ordinaires des sociétés libérales : argent, femme, pouvoir, etc., sont insupportables aux êtres morbides ou excessifs. Seul un ordre monastique de tyrannie morale et d'inquisition leur convient, un ordre qui maintient en bonne conscience et en discipline extérieure des hommes protégés de leurs propres tentations par la force publique et sauvés de leur commune indignité par le mythe de substitution : en Russie, le capitaliste; en Allemagne, le Juif.

Pourquoi Céline a-t-il préféré le couvent allemand au couvent russe, pourtant semblable? Mystère de la grâce hitlérienne...

Le monde est pourri par les Juifs. Quel monde? La Russie, la France, l'Angleterre, l'Amérique, c'est-à-dire les puissants adversaires d'Hitler. Il ne s'agit pas du monde démocratique en soi, puisqu'on y trouve l'U.R.S.S. et que n'y figurent pas les autres démocraties, mais exclusivement des pays adversaires d'Hitler. Aucune pourriture n'est mentionnée par Céline en Allemagne, en Italie, au Japon.

L'Aryen et le Juif : le Juif est un négroïde; nègres et Juifs sont de races inférieures. Les thèmes racistes sont répétés par Céline.

Le mythe anti-démocratique : Attaques contre la S.D.N., attaques contre la social-démocratie et les syndicats ouvriers, attaques contre le Front populaire français. On trouve cette bouffonnerie : « La collusion du Consistoire de France avec le communisme »...! Si Céline malgré sa démence avait rencontré, une fois dans sa vie, un de ces messieurs du Consistoire...

Mais il ne s'agit pas dans le livre de Céline d'un Consistoire concret, bien que les noms de ses membres y soient publiés avec précision — il s'agit d'une sorte de kahal, de Sanhédrin, d'un trône d'où sortent des décrets infernaux...

Si Céline avait été stipendié par Hitler, il parlerait rigoureusement le même langage. Il va, en effet, jusqu'à dire qu'il préférerait la colonisation de la France par Hitler plutôt que la colonisation par les Juifs.

Malgré l'état de crise de Céline au moment où il a écrit ces extravagances, il nous faut dénoncer ses malices et ses supercheries. Lorsque Céline déclare d'une part qu'il refusera de faire la guerre contre Hitler, et d'autre part qu'il réclame l'extermination des Juifs, il se moque du monde. Je ne pense pas que Céline, grand blessé de guerre, soit mobilisable. Sa forfanterie comme objecteur de conscience paraît donc d'un goût douteux. Soulignons aussi la lâcheté qui consiste à refuser le risque certain de guerre, tout en acceptant d'un cœur léger le massacre d'autrui par les autres.

Enfin que signifie pour Céline l'appel au massacre? Céline n'a pas songé un instant qu'un lecteur aryen le prendrait au sérieux et répondrait à son appel en massacrant un ou plusieurs Juifs.

Nous ne voyons pas Céline en cour d'assises revendiquant la pleine responsabilité du massacre, ce qui d'ailleurs n'éviterait pas à l'Aryen sa punition.

Dans la forme cet appel se présente comme une activité académique d'homme de lettres jamais engagé par ses écrits, activité du genre imprécatoire et prophétique. Toutefois, les prophètes ne dressaient pas les hommes les uns contre les autres puisqu'ils parlaient à Dieu, maître des corps et des âmes, et ne lui demandaient de punir que leur propre peuple.

Au fond, l'appel ne vise pas les Juifs concrets, la chair des Juifs, mais ce mythe de leur âme commune et immortelle : le diable.

Ce livre, où Céline présente l'écrivain aryen comme seul capable d'émotion directe, spontanée, intuitive, organique, continuellement dépossédé par le Juif stérile, pillard, imposteur, plagiaire, ce livre ne contient aucun rythme émotif propre; aucune émotion directe, spontanée, intuitive, organique, aucune réalité juive authentique n'est jamais communiquée au lecteur, il est fait entièrement d'allégations arbitraires, d'impostures, de pillages et de plagiats. Céline accuse les Juifs de « culot »; il pourrait donner aux Juifs des leçons.

Toutes les faiblesses et les lâchetés de Céline sont concrétisées par la paresse et le manque de scrupules qui marquent tout au long ce dernier livre. Nous sommes obligés de signaler la malhonnêteté foncière de son travail. Céline est encore assez responsable pour savoir qu'il a puisé sa documentation et ses statistiques non pas directement aux sources indiquées, mais dans trois publications méprisables. Le lecteur est donc trompé par une argumentation qu'il croit sérieuse et des chiffres qu'il croit exacts, alors que d'une part Céline sait parfaitement que leur origine est suspecte, et que, d'autre part, lui-même, entraîné par son goût de l'emphase, a faussé les chiffres qu'il reproduisait. Un écrivain digne de ce nom peut écrire un livre antisémitique, aussi funambulesque soit-il, mais il se déshonore en reproduisant des prospectus de propagande et en les endossant comme le fruit de ses propres recherches.

René Vincent

Les aveux du Juif Céline

Le processus créateur de M. L.-F. Céline s'apparente assez à celui d'une indigestion : c'est tout d'abord une ingurgitation énorme, sans mesure, lourde d'épices et qui lève le cœur; son talent ne trouve sa forme parfaite que dans l'expectoration. Tout ce que le langage comporte de mots orduriers, toutes les images obscènes que peut concevoir l'esprit, s'y mêlent dans le liquide débordant d'une scatologie ignoble et visqueuse.

Le stylo incontinent de M. Céline s'approvisionne aux intestins; il court ensuite sur le papier avec des bonheurs divers : c'est tantôt la sombre mais indéniable puissance du *Voyage au bout de la nuit* et tantôt le morne égout de *Mort à crédit*. *Bagatelles pour un massacre* barbote dans les mêmes eaux — entre les deux — avec une verve inégale qui, d'abord, choque ou séduit mais dont la lourde persistance lasse.

L'originalité prétendue de M. Céline consiste surtout à avoir réintroduit dans la littérature écrite le langage parlé (du moins un certain langage). De ce point de vue, on a pu le comparer à Rabelais; mais entre Rabelais et

RENÉ VINCENT, « Les aveux du Juif Céline », *in Combat* [Paris], mars 1938.

M. Céline il y a toute la différence de qualité entre la langue parlée, à l'époque où celle-ci était riche, puissante, saine et drue parce que la langue littéraire n'était encore qu'en formation et la langue parlée d'aujourd'hui qui n'est que la déjection, le laissé pour compte d'un langage usuel formé et fixé. Une certaine spontanéité, quelque naturel dans l'invective, qui manquent aux élucubrations laborieuses de l'auteur de *Mort à crédit,* peuvent cependant donner encore du charme à cette résurrection d'un langage fruste : aussi préfère-t-on à ce remuement bruyant de poubelles d'hôpital la franche verdeur d'un Jehan Rictus. Si le style de M. Céline évoque quelque antécédent on pense bien plutôt à ce médiocre « croque-bourgeois » de Laurent Tailhade.

Avec *Bagatelles pour un massacre,* M. L.-F. Céline se range parmi les écrivains antisémites, si tant est que l'antisémitisme tienne vraiment une place dans la littérature française. On ne voit guère que Drumont — d'ailleurs méconnu et incompris en dépit du prodigieux livre de M. Bernanos — qui parmi les théoriciens de l'antisémitisme fasse vraiment figure d'écrivain. C'est que Drumont, doué d'une extraordinaire sensibilité populaire, l'un des rares écrivains bourgeois qui soit resté en communion avec le peuple, avait décelé dans la menace et dans l'emprise juives l'essence même du mal : l'œuvre de corruption des mœurs et de la Société, aussi bien économique que politique (Drumont est un écrivain « anticapitaliste » : le Juif est l'introduction dans la société chrétienne du prêt usuraire : ce fait historique est à la base de la question politique et sociale du judaïsme).

Mais il faut avec M. Céline redescendre quelques échelons. Il est moins antisémite à la manière de Drumont qu'à celle de M. Urbain Gohier [1] : *Bagatelles pour un massacre* est un fourre-tout où l'auteur accumule brutalement ses haines et ses rancunes personnelles, en étiquetant

1. Journaliste (1862-1951) monarchiste, puis antisémite, dont Céline a lu les feuilletons du *Journal* vers 1916. *(N.d.E.)*

sans la moindre distinction « JUIF » toutes les pièces de
ce pêle-mêle intarissable.

. Les faits objectifs aujourd'hui ne manquent pas pour
étoffer un pamphlet contre Israël; on s'étonne d'autant
plus de voir M. Céline donner libre cours à un subjecti-
visme délirant sans le moindre souci d'une vraisemblance
dont l'actualité offre pourtant de surabondants sujets.
Dans ce fatras, on trouve quelques rares formules polémiques d'une heureuse venue :

« Le capitaine Dreyfus est bien plus grand que le capitaine
Bonaparte. Il a conquis la France et il l'a gardée »

ou bien :

« le jour où il existera une Ligue antisémite, le président, le
secrétaire et le trésorier seront juifs »

mais surtout des éructations gratuites, d'un ridicule
sans excuse (Louis XIV, Racine, Juifs...).

[...]

Bagatelles pour un massacre est un roman, en ce sens
que M. Céline s'efforce bien moins d'y exprimer la réalité
qu'une invention subjective. Mais on comprend assez mal
l'inspiration de tant de fureur. L'esthétique de M. Céline
ressortit, en effet, des procédés que l'influence israélite
a introduits dans nos arts, dans notre littérature. Cette
dissociation frénétique de la personnalité, ce freudisme
latent, cette liberté laissée à l'instinct aux dépens de tout
effort de composition dans la création artistique, jusqu'à ce
ton de lamentation qui se charge dans la prose de M. Céline
d'accents orduriers, ce sont là les apports même d'Israël à
la tradition française dans maintes œuvres contemporaines.

Si l'on dégage le génie propre de M. Céline de tout ce
qui n'est qu'artifice superficiel, ce qu'il en reste évoque
tout naturellement les disciples de Freud, le musée du
professeur Magnus Hirschfeld, quelques barbouilleurs
surréalistes et divers cinéastes en difficulté avec la censure :
tous juifs et ceux-là pour de bon! Somme toute, l'œuvre
de M. Céline se déverse dans le même tout-à-l'égout que
le répertoire de Mme Marianne Oswald.

D'ailleurs, puisque Louis XIV est juif, puisque Racine est juif, puisque le Pape est juif, puisque M. Mussolini est juif, puisque M. Denoël est juif, pourquoi M. Céline, lui aussi, ne serait-il pas juif?

Cette hypothèse se suggère dès les premières lignes de *Bagatelles pour un massacre,* elle s'impose bientôt sous l'effet de la hantise; il n'est que d'aller jusqu'à la moitié du livre pour cueillir l'aveu :

Grâce à mon genre incantatoire, écrit M. Céline, mon lyrisme ordurier, vociférant, anathématique, dans ce genre très spécial, assez juif par côtés, je fais mieux que les Juifs, je leur donne des leçons...

L'affaire est entendue.

Gonzague Truc

L'art et la passion
de M. Ferdinand Céline

M. Ferdinand Céline n'est pas un auteur de bonne compagnie. Rabelais non plus, ni même, en certains endroits, Montaigne ou Voltaire. Nous faisons cette réserve et ces rapprochements pour rappeler que le public, ainsi que la critique, doit se résigner en certains cas à un langage ou à des situations qui ne soient point continûment académiques et que l'artiste garde ses droits — pas tous les droits — sur son vocabulaire et sa syntaxe : on l'oublie trop.

M. Céline, au début de ce dernier volume : *Bagatelles pour un massacre* — il sait admirablement choisir ses titres — a sur cette question de la critique des propos amers et qui ne sont point injustifiés. Il se plaint qu'on

GONZAGUE TRUC, « L'art et la passion de M. Ferdinand Céline », *in La Revue hebdomadaire* [Paris], juillet 1938.

l'exécute en un tour de main et que l'on se croie quitte avec lui quand on a dit qu'il atteint au fond et au comble de l'ordure. Et, en effet, c'est là une vue bien cursive si elle a le mérite de dispenser de tout autre effort.

M. Céline aura lieu de redoubler sa plainte à l'occasion de *Bagatelles...* Cette fois encore, on affiche en termes brefs son dégoût, mais plus volontiers on se tait. Les plus indulgents hochent la tête avec pitié, les autres s'en vont répétant avec arrogance : « Non, nous ne parlerons pas de Céline. Décidément il est au-dessous de tout... » Les mêmes toutefois consacrent à nos industriels littéraires des cinq ou six colonnes où ils s'efforcent de masquer, précisément, que ce sont des industriels. D'où vient cet accès de pudeur, de justice et de probité? Serait-ce du sujet et parce que M. Céline parle des Juifs? Israël aurait-il la vertu de propager parmi la gent plumitive cette vague de vertu?

Nous n'aurons point ce scrupule et, au contraire, ce livre maudit nous permettra un regard opportun sur un art que nous n'admettons point tout entier, une « passion », infiniment curieuse et pitoyable, un problème social et moral qui prend une singulière acuité.

[...]

Reconnaîtrons-nous donc en M. Céline un classique de cette langue qu'il a voulu promouvoir à la dignité de l'art? Ce serait à la fois trop le grandir et le diminuer. Nous verrions plutôt en lui, à cet égard encore, le plus original des initiateurs. Sans vouloir entrer dans une matière où se dérobe notre compétence, sans examiner s'il reste dans la règle de son irrégularité, nous pouvons porter quelque jugement sur son exécution. Il y a des morceaux magnifiques, il y distribue sa matière avec puissance et diversité, il s'y trouve aussi confus, touffu et de souffle court. Ce dernier point, tient-il au sujet, à l'objet, à ce même instrument? est celui où nous nous arrêtons avec le plus de curiosité. M. Céline, là où il s'emporte, devient vite coupé, haché, haletant, on dirait qu'il va s'étouffer, il s'étouffe. Qu'on lise ou qu'on relise dans

Mort à crédit, la scène du viol du jeune homme par son amoureuse goulue.

Il y a certainement dans cette insuffisance — et c'est là que l'effet du péché se montre — l'insuffisance d'un parler trop pauvre dans son allure et sa contexture première pour se prêter au vent qui emporte jusqu'à l'éloquence une langue normale, il y a aussi la passion qu'on entend sous ces cris. Retenons cette double indication et cependant ne nous laissons pas arrêter par des soucis frivoles. Ces grossièretés, ces ordures qui forment la trame du discours, ce mot cambronnesque où on peut se borner à voir un simple signe inédit de ponctuation, qu'ils ne nous abusent point. L'autre défaut, le défaut de fond, toujours en ce qui touche à la manière est ailleurs. Dans ces vastes ensembles où se rencontrent et se façonnent mutuellement de leur abjection intégrale l'âme et l'univers, M. Céline ramasse tout, accumule tout, mêle tout. Or l'art est choix et ordre. C'est pourquoi, malgré l'énorme verve, l'horreur croissante et pittoresque, nous ne poursuivons point sans que l'ennui, assez tôt, paraisse. Mais il apparaît aussi qu'une gageure invraisemblable est près d'être gagnée, que d'un instrument grinçant et discordant on a tiré des sons propres à toucher l'oreille, qu'il y avait dans un langage tout artificiel et fait surtout d'énormités et d'enfantillages des possibilités littéraires qu'on a su mettre en œuvre.

[...]

Que nous apporte-t-il? C'est là que la chose devient grave. Il s'apporte lui-même et il prétend apporter l'homme. A la manière de Rousseau, mais avec quelle franchise, quelle charité, quelle pureté de plus! nous disons bien pureté.

La vie serait-ce une longue nuit, avec toutes les horreurs de la nuit, ses larves, ses démons et ses songes démentiels, l'homme tiendrait-il tout entier dans cette bête lubrique, peureuse, cruelle et compliquée lâchée à travers le monde? C'est bien ce que M. Céline semblait poser dans ce premier livre, *Voyage au bout de la nuit,* dont le bruit, aussitôt, empêchait de rien entendre, dont la forme dérobait la substance, que glosaient à faux toutes les étourderies, toutes les perfidies, tous les partis pris, tous les calculs de l'opinion écrite ou parlée, où la conscience révoltée se refusait à comprendre que ce voyage était un voyage au fond d'elle-même et que ce fond ce sont peut-être des bas-fonds.

Nous sommes des délicats. Nous voulons qu'on nous parle poliment, que le miroir nous renvoie une image agréable, que la photo soit retouchée, et s'il faut bien qu'on nous présente la misère et le vice, que la misère et le vice soient enrubannés, pomponnés et restent supportables, que si nous devons marcher dans la boue, la boue ne nous éclabousse pas. Ces précautions ne sont guères prises, ici, ni ces ménagements gardés, non plus dans cette affreuse suite *Mort à crédit*. C'est, croyons-nous, le plus horrible tableau qu'on ait jamais présenté de la vie externe et d'une vie intérieure. Nos naturalistes, naïfs, se croyaient arrivés au comble de leur art pour avoir décrit quelque plaie bien purulente ou dépisté dans une âme vénale quelque sombre machination. Enfantillages !

Lâcheté, malpropreté, ordure, égoïsme farouche et radical, sexualité hideuse et débridée, telle apparaît ici l'essence ou la nature de l'être qui a reçu la conscience et une ombre de pensée. Et, pour rendre cette turpitude infamante et dernière et d'ailleurs pittoresque, si le pittoresque peut paraître dans le désespoir, les mots les plus ignobles, les plus infamants aussi dans leur saveur linguistique. Rien, rien qu'un déferlement du pire fumier pour ne pas employer un autre terme qui revient trop souvent, aucune éclaircie dans les ténèbres. La guerre faite dans une peur terreuse, la vie menée hors des voies battues dans la brousse la plus perfide, une enfance poussée dans la laideur, le vice et la haine, un enfant qui plus tard assommera aux trois quarts son père, un monde enfin près de qui nos pâles troupes du « milieu » sembleraient des légions d'enfants de chœur, cette philosophie parfaitement et adéquatement exprimée par ce double aveu :

La grande défaite en tout, c'est d'oublier, et surtout ce qui vous a fait crever, et de crever sans comprendre jamais jusqu'à quel point les hommes sont vaches...

Et, plus loin, bien plus loin, au terme :

Mais il n'y avait que moi, bien moi, moi tout seul... un Ferdinand bien véritable auquel il manquait ce qui ferait un homme plus grand que sa simple vie, l'amour de la vie des autres...

Ce double aveu, cette double espérance. Mais, avant de la discerner, celle-ci, avant de voir pointer une lueur problématique d'aube, quel désert de nuit, en effet, quel grouillement larvaire, quelles convulsions, quelles jouissances lugubres, quelles agonies dans l'ombre, quelle désespérance de trouver, même dans la mort, le soulagement d'échapper à une telle vie !

[...]

Que dit-il, alors? Des choses précises et infiniment curieuses : qu'avec la défaillance de toute pitié il convient de déplorer la perte de tout lyrisme, que celui-ci demeure le principe de l'art et l'autre de la seule vie concevable. C'est donc, dans la furie de ce désespoir magnifique, un appel au cœur. Il n'a, cet appel, ni la simplicité ni la nocivité de ceux que nous avons entendus. M. Céline n'est pas Rousseau; il ne tire pas d'une bonté naturelle de l'homme des catastrophes effroyables et bêtes; il croit au contraire l'homme mauvais, presque irrémédiablement mauvais, mais attention à ce *presque*.

Dans ce contact qu'il voudrait rétablir entre l'émotion et l'art certainement il ne précise pas assez la part de l'intelligence ni ne la fait assez large; il sait cependant aussi bien qu'un autre que l'artiste, dans l'exercice de son jeu, est un malin. Mais il a raison de s'élever avec toute la virulence qu'il déploie contre l'artificiel, la fausse morale, la fausse psychologie, la fausse esthétique où se ramasse l'essentiel de la plupart des œuvres modernes; il a raison de dire ce qu'il dit de la critique, il reste là au-dessous de la vérité, bien que la vérité demeure plus amère ou plus plate qu'il ne la montre; il ne sait pas à quel point nous sommes des clercs traîtres quand nous ne sommes pas des clercs illettrés. Oui il y a dans cette vaste et puissante épopée fuligineuse et breneuse, dans ce verbe qui semble un défi au bon sens et à la réalité sensibles, des vérités profondes, redoutables, tout actuelles et menaçantes, qui nous tueront si nous continuons à les méconnaître et l'amorce, plus que l'amorce, d'*une* vérité grandiose, éternelle.

Lisez plutôt cette page dont vous comprendrez vite pourquoi il la faut citer tout entière :

La supériorité pratique des grandes religions chrétiennes, c'est qu'elles doraient pas la pilule. Elles essayaient pas d'étourdir, elles cherchaient pas l'électeur, elles sentaient pas le besoin de plaire, elles tortillaient pas du panier. Elles saisissaient l'homme au berceau et lui cassaient le morceau d'autor. Elles le rencardaient sans ambages : Toi, petit putricule informe, tu seras jamais qu'une ordure... De naissance tu n'es que merde. Est-ce que tu m'entends?... C'est l'évidence même, c'est le principe de tout! Cependant, peut-être... peut-être... en y regardant de tout près... que t'as encore une petite chance de te faire un peu pardonner d'être comme ça, tellement immonde, excrémentiel, incroyable... C'est de faire bonne mine à toutes les peines, épreuves, misères et tortures de ta brève ou longue existence. Dans la parfaite humilité... La vie, vache, n'est qu'une âpre épreuve! T'essouffle pas! Cherche pas midi à quatorze heures! Sauve ton âme, c'est déjà joli! Peut-être qu'à la fin du calvaire, si t'es extrêmement régulier, un héros « de fermer ta gueule », tu claboteras dans les principes... Mais c'est pas certain... un petit poil moins putride à la crevaison qu'en naissant... et quand tu verseras dans la nuit plus respirable qu'à l'aurore... Mais te monte pas la bourriche! C'est bien tout!... Fais gaffe! Spécule pas sur des grandes choses! Pour un étron c'est le maximum!...

Ne restez-vous pas confondu? N'est-ce point là, en des termes incroyables, dans toute sa force, son exactitude, sa finesse, sa profondeur, son accent la doctrine catholique, la vérité chrétienne, et fallait-il ces paroles et cette voix pour l'entendre rappeler au monde?

Je ne me donne pas le ridicule de vouloir découvrir en M. Céline un Père de l'Église. Je m'étonne cependant à voir jusqu'où il conduit et mes délicatesses, mes refus, mes révoltes sont bien près de se taire devant l'approbation, l'admiration, le respect où il me force à consentir.

Encore une fois, il n'est pas lisible pour qui a gardé la pudeur des mots ; il se vautre en son délire en des ordures effroyables, et sa forme n'emprunte point cette fixité, cette universalité par quoi tiennent et se propagent les grandes œuvres. Il mêle à de justes férocités des jugements ou des goûts arbitraires et il lui faut pardonner ses énormités sur Racine ou Montaigne, en faveur d'autres fureurs vengeresses et de ses terribles propos sur la littérature sentimentale. Il est trop lui-même pour rester bon juge de ce qui diffère de lui.

Il a fait entendre contre l'effarante et abominable imbécillité où s'abîme le monde le cri nécessaire et averti du suprême danger qui menace toute civilisation. Il n'a pas craint pour cela de se dresser contre des forces qui ne pardonnent point, et s'il a connu un succès de scandale, il peut voir que c'est par le scandale aussi qu'on tente d'organiser son insuccès. Il faut donc saluer son courage. Il faut davantage et savoir trouver en des livres forcenés la sagesse et la beauté qui s'y cachent, et dans ce même délire, presque sacré, des vues divinatoires où n'atteint pas le bon sens ; il faut sentir à travers ces immondices fumants, le souffle salubre des mers. Car à côté d'un Gide, par exemple, si net, si clair, si lucide, si impurement pur, un Céline, avec son tumulte, ses vociférations et ses monstres, quel torrent de santé !...

Henri Guillemin
[*Une poésie étrange,*
nauséabonde et insensée]

« Encore ! Mais c'est toujours pareil ! » J'entends répé-

HENRI GUILLEMIN, « *L'École des cadavres* de L.-F. Céline », *in La Bourse égyptienne* [Le Caire], 19 février 1939.

ter ça partout, à propos de ce « nouveau Céline », pas du tout nouveau, justement.

Je n'ai rien à dire contre. C'est tout à fait vrai. Seulement il faut savoir ce qu'on demande à Céline. Des idées, une doctrine? Alors, évidemment, on est perdu. Mais un certain plaisir littéraire qu'il est seul à nous apporter? Cela oui, uniquement cela; et ce n'est pas déjà, à mon avis, si peu de chose.

Il est certain qu'on se déconsidère à en faire l'aveu. Je me demande si les gens du monde, au XVIᵉ siècle, approuvaient qu'on goûtât Rabelais. Il y a bien encore chez La Bruyère la trace de quelque chose comme un dédain de bonne compagnie à l'égard de Pantagruel; divertissement de la canaille. Quelle revanche pour Panurge que de se voir aujourd'hui compté parmi les personnages officiels des manuels scolaires, à côté de Cinna et de Lusignan! Il y a ainsi des hors la loi qui forcent tout de même la porte des Panthéons, des clochards auxquels on finit par élever des statues.

Céline manque de mesure? Mais c'est précisément ce qu'on lui demande de bon sens? Il y a une manière de démence qui touche à la grandeur; de civilité? Villon n'en avait pas non plus beaucoup, ni Rimbaud.

Inégal? D'accord. On saute même des pages. Il arrive d'ailleurs qu'on le regrette ensuite, qu'on ait un remords, qu'on revienne en arrière, qu'on veuille voir d'un peu près ce qu'il y avait dans ces étendues traversées d'abord au pas de course et naturellement on y fait des découvertes. C'est que le Céline — à moins que l'on ne soit d'une constitution très exceptionnelle — ne s'absorbe pas d'un seul coup. Il faut le temps de respirer. La boisson est trouble; elle est un peu forte aussi, c'est certain; et le verre est grand.

Ce vociférant, il vous exténue; on a beau se figurer que nous lecteurs, nous sommes tout passifs, qu'il nous suffit de nous laisser faire, de savourer paisiblement, dans nos fauteuils, cette prose frénétique, nous recevons tout de même le choc dans la poitrine. Il y a toujours une espèce d'inconscient, d'imperceptible mimétisme du lecteur à l'égard de l'auteur ; un jeu des muscles, infime, mais réel, un commencement de tension. Il mène, Céline, un tel vacarme, il se dépense si terriblement que nous n'en pouvons plus au bout de cinquante pages. C'est comme ces matchs de pancrace qui durent plus d'une heure. Passionnant, le pancrace ; mais il faudrait découper ça davantage, histoire de nous laisser nous remettre, nous les spectateurs chétifs.

Et puis c'est vrai qu'il lui arrive de perdre pied absolument, à ce danseur convulsionnaire, à cet escalabreux (un si beau mot ! et qui n'est pas de lui ; il n'a pas dû le repérer, sans quoi il l'aurait volé à Chateaubriand). De temps en temps, on dirait tout de bon qu'il ne se connaît plus, qu'il est entré dans je ne sais quelle transe majeure, dans un prodigieux vertige d'indignation lyrique. Il a renoncé cette fois-ci aux points de suspension ; dans *Bagatelle,* il y en avait bien de quoi faire, en les disposant bout à bout, une bonne douzaine, au moins, de pages pleines, mais Dieu sait qu'il n'a pas renoncé aux points d'exclamation, aux interjections, aux clameurs parfois plus semblables à des aboiements qu'à des discours intelligibles. « C'est trop ! j'éclatouille, j'explosille en cent mille miettes de furie !... » Il le dit lui-même, vous voyez ; et ça lui prend de temps en temps.

Une poésie étrange, nauséabonde et insensée se lève de tout cela. Elle surgit dès les premières pages, dans ce chapitre liminaire où Céline, en somme, s'adresse à sa Muse. Une drôle de Muse, une très particulière Sirène. « L'autre jour, je déambulais comme ça, tout pensif, le long du halage, entre la Jatte et Courbevoie... J'aperçois là-bas une sirène qui barbotait entre deux eaux, bourbeuses alors, très infectes, une fange pleine de bulles. J'en étais gêné pour elle. Je fis semblant de ne pas la voir » ; mais elle l'interpela : « Yop ! Eh, dis donc, hop, Ferdinand !... Je la connaissais, cette effrontée ; je l'avais déjà rencontrée assez souvent, dans des circonstances délicates, en des estuaires bien différents, à d'autres moments de la vie, de Copenhague au Saint-Laurent, là-bas toute éperdue, toute effrénée de mousse, de joie, de jeunesse, vertigineuse dans les embruns.

Cette déchéance me bouleversait bien sûr! Comme ça, dans la Seine, si poisseuse, si égoutière! » Leur dialogue, on m'épargnera de le rapporter il ressemble plus à une bagarre qu'à un duo; et ils se séparent plutôt froidement. « Plouf! Une immense éclaboussure. Elle était déjà plongée. Elle voguait là-bas, très loin, tout de même bien tentante, la damnée chérie! »

On n'en finirait pas s'il fallait dénombrer les trouvailles d'expression, les chocs de mots magnifiques, les étonnants couplets, les incroyables acrobaties verbales dont fourmillent ces trois cents pages. Presque au seuil, cette invention, par exemple, d'une lettre d'injures que Céline se fait écrire par un ennemi imaginaire : « à Céline le dégueulasse ». Un pastiche de lui-même par lui-même, simplement un peu renforcé, un peu plus ignoble, un peu plus ordurier que sa propre manière. Et alors de s'élancer dans le mépris, de jouer les écœurés, les asphyxiés, de feindre qu'une littérature pareille est pour lui une souffrance physique, pire que cela : un déshonneur! Douleur d'être si mal compris! Calvaire de se voir ainsi méconnu, compromis par des imitateurs sans âme. Céline victime de ses épigones. « Ah! que les maîtres sont à plaindre qui ne font lever autour d'eux que de telles ivraies blêmes et fades! » La bouffonnerie de l'attitude a quelque chose d'irrésistible.

Un grand sujet, un peu plus loin, un de ces morceaux de bravoure qui permettent les plus beaux effets : le départ du *Normandie; Normandie,* « triomphe de nos contributions », « le plus crâneux de nos déficits », la « gigantesque panse, la fantastique tout-en-fer, la nef du prochain déluge », ces « Champs-Élysées montés sur péniche ». Ou encore cette rapide image des 1er mai d'avant guerre, quand les ouvriers de Paris dressaient des barricades « rien que pour faire sortir tous les cuirassiers, que ça scintille plein les Boulevards »; et les quatre pages, bardées de citations latines, à l'adresse de M. Maurras, toujours à « circonlocuter, à digresser pompeusement, à s'admirer tout ronronnant dans l'ordonnance d'un beau vide »; et l'allusion charmante aux « partouzes d'aveux spontanés » de Moscou.

Par endroits, sans qu'on s'y attende, des changements de ton : l'admirable strophe, par exemple (p. 147) sur les « petits cadres » sous-officiers, et adjudants, fils de cette bourgeoisie besogneuse, dressée aux privations volontaires, et qui tient le coup, qui s'acharne, qui est la force de la France. Ou, mieux encore, des lignes presque stupéfiantes chez Céline, calmes, graves : « Le fond d'un homme est immuable... L'âme n'est chaude que de son mystère, etc. »; et des déclarations comme celles-ci : « Les hommes épris de la matière sont maudits. Lorsque l'homme divinise la matière, il se tue. » On est un peu gêné; est-ce que pour un coup, il se mettrait à parler sérieusement? (« déjà trop souvent qu'il a sauté de cordes en cordes, Ferdinand! ») Est-ce qu'il faudrait, en dépit de tout, attacher de l'importance à l'épigraphe déconcertante : « Dieu est en réparation. »

Mais le grand jeu se déploie ailleurs. *École des cadavres,* le titre est clair : dressage des Français pour la « prochaine dernière », la bonne, où nous disparaîtrons du sol comme se sont évanouis nos ancêtres les Gaulois, « ces fols héros »; si bien volatilisés qu'ils n'ont pas même eu le temps de nous laisser vingt mots de leur propre langue. Il a trouvé son thème, et il pousse à fond; il écume contre ceux qu'il tient pour les responsables, les « bardes fanfarons » comme il dit, les « patriotes pour cimetières fructueux »; il leur prête d'inconcevables harangues; il leur donne la parole, et on les entend morigéner les Français coupables de ne pas se ruer tout de suite, gaillardement, musique en tête, au « casse-pipe » des cataclysmes. Ah, ceux d'hier pourtant, n'avaient pas « chipoté, ces chéris des nécropoles, pour s'apporter, torses brandis, fous d'ivresse offensive, transluminants de vaillance, à travers glacis, redoutes, torrents de mitraille, à Charleroi! » Et ils nous déclarent « bien équivoques avec nos façons de lambiner, de réfléchir sur les détails... Sonnez, olifants! Frémissez, drapeaux! Rafalez, tambours! » Non? On n'est pas encore debout! On n'a pas encore l'arme au poing? « Ah, fi! ah, pouah! Quelle horreur! Bande de goujats rebutants! vils ingrats anciens combattants! C'est pas comme M. Suez-Weygand! Lui, au moins, il la sauvegarde, la flamme des suprêmes sacrifices! Il se la rallume pour lui tout seul, avec des coupons terribles! »

Les responsables, pour M. Céline? c'est bien simple. N'a-t-on pas encore deviné? Mais les Juifs, voyons! Toutes les guerres n'ont jamais été que des « pogroms d'aryens organisés par les Juifs ». Place nette pour Juda par tout l'univers! Et, à l'appui, des démonstrations irréfutables : une liste des professeurs des Hautes Études (où, par malheur, les chrétiens sont, par rapport aux Juifs, dans la proportion de dix contre un; mais qu'à cela ne tienne; Céline ne s'en écriera pas moins : « tous juifs et contre-juifs! ») et l'argument massue : savez-vous le vrai nom du Pape? Isaac Ratisch! Et d'ailleurs, « les apôtres? tous juifs, tous gangsters! » Le pire de tous : Roosevelt! Ah celui-là, le saliveux! « Je voudrais qu'il en reprenne plein la face, moi, ce Roosevelt! et des grands comme l'Atlantique! et tout en vitriol! Mais c'est bien trop espérer des astres et des vents de ce monde. »

Encore une fois, il faut se munir d'une armure — ou si l'on préfère d'un blindage — pour aborder Louis-Ferdinand. Il faut le prendre tel qu'il est ou ne pas le prendre du tout. Si j'avais ouvert son bouquin dans l'intention de discuter avec lui, j'aurais vu rouge à mon tour, je me serais donné un coup de sang. Piétiner les Juifs quand ils endurent ce qu'ils endurent, ces immolés, à l'heure où nous sommes, c'est d'une assez belle ignominie. Mais il le sait bien, Ferdinand; et il a toujours aimé « en remettre », en fait d'abominations, sur le personnage qu'il a adopté. Loi du genre.

Étant bien entendu qu'il s'agit d'une jonglerie, on peut y aller, délivré de scrupules, et applaudir l'extraordinaire jongleur. Le « plan Céline » est ce qu'il y a de plus beau. Car il y a un plan Céline, un plan pour le salut du monde. « La France n'est latine que par raccroc, par hasard, par défaites; en réalité elle est celte, germanique pour les trois quarts »; la partie non celtique du pays, ça ne compte pas; c'est celle qui fournit seulement « les ministres, les vénérables, les congressistes hypersonores... c'est la partie vinasseuse de la République, la méridionale, profiteuse, resquilleuse ». Zéro. Conclusion : l'alliance franco-allemande; l'armée franco-allemande, et comme disait M. Béraud (autre histrion, mais pas drôle du tout) : réduire l'Angleterre en esclavage. « Une seule force antijuive en ce monde; une seule force pacifique réelle : l'armée franco-allemande. Quatre cents divisions d'infanterie parfaitement dérouilleuses, résolues. » Le voilà, le plan rédempteur. « Qui dit mieux? Qui bronche? rechigne? rebiffe? récalcitre? travaille du sourcil? ergote? récrimine? s'oppose? On attend!

Malheur! Les Français ne paraissent pas comprendre. Eh bien, ils y passeront tous, au feu d'artifice, aux « gigantesques bengalades », aux « pyrogénies hallucinantes! L'école mirifique! Tout le monde sera reçu! ».

« Et puis Amen, nom de Dieu! »

1941-1944. Mis sur la touche par le retrait de la vente des pamphlets, Céline ne semble plus se manifester entre août 1939 et le lancement des *Beaux draps*. Aussi convenus que médiocres, les témoignages sont surtout de pure complaisance. Même les violentes protestations de l'auteur contre l'hostilité de Robert Desnos ou de Maryse Desneiges, puis, plus tard, contre l'interdiction et la saisie (en Zone Non Occupée) de l'ouvrage feront long feu.

En dépit du bouleversement politique général et d'une activité marginale continue (interviews, déclarations, réponses à des enquêtes, lettres aux journaux), la situation littéraire de Céline n'évolue guère. On enregistre seulement quelques efforts isolés dont le repentir n'est évidemment pas innocent.

Encombrant, Céline le devient encore un peu plus quand il publie, hâtivement, la première partie de *Guignol's band*. Prenant la critique à contrepied, il ne satisfera vraiment personne. C'est donc au nom des « circonstances » que le critique donne ou refuse l'absolution.

Pierre Drieu
La Rochelle

[*L'art français
n'est pas un art de tout repos*]

Céline a été par certains détesté, méprisé, nié dès le premier jour. Quand il apparut brusquement dans la littérature, il y eut tout de suite, aussi bien dans les chapelles que dans diverses épaisseurs du public, un mouvement de crainte. Alors, il ne s'agissait pas de politique.

Céline a eu le même sort que la vérité. L'élite n'a pas voulu regarder en face l'un plus que l'autre; elle a fermé les yeux sur la force de Céline comme sur la force des événements. Et sans doute continue-t-elle encore. Elle peut continuer.

On peut toujours nier quelque chose de vivant, il suffit d'attendre quelques siècles pour avoir raison. Les Juifs qui ont écrit les Apocalypses avaient, si l'on veut, raison : l'empire romain a fini par trépasser. Il n'y a mis que cinq siècles en Occident et quinze siècles à Byzance. Quand on nie la vie, il suffit d'attendre : la mort vient toujours.

N'empêche que ces réussites de quelques siècles qui font sourire les sardoniques des murs de lamentations sont les plus grandes réussites humaines et qu'elles conditionnent toutes les autres. On ne conçoit pas la catholicité chrétienne de vingt siècles sans le travail préparatoire de l'empire romain.

N'empêche que Céline aura jeté son cri. Et qu'en dépit des demi-silences ou des dédains de la critique, il aura été

Pierre Drieu La Rochelle, « Un homme, une femme », *in La Nouvelle revue française* [Paris], 1er mai 1941, repris *in Sur les écrivains* © éd. Gallimard, 1964.

lu abondamment et savouré au moins autant que M. Maurois.

[...]

Céline est en plein dans une des grandes traditions françaises, celle de la pensée immédiate, qui se saisit de l'affaire humaine dans les termes physiques du moment, à son niveau de plus grande urgence, au niveau populaire.

Tradition toujours présente dans les fabliaux et dans Rabelais, chez les satiristes du temps de la Ligue, les forts libres écrivains de l'*autre* xviie. Tradition qui rebondit dans Diderot et dans Voltaire, dans le Michelet de l'*Histoire de France* et le Hugo des *Misérables*. On retrouve la même obéissance à l'urgent des mœurs, il est vrai transposé dans un autre langage, chez tous les grands vigilants du mysticisme moderne : Veuillot, Barbey et Bloy, Léon Daudet. On pourrait citer, de l'autre côté, Vallès et Zola.

Ce sens du réel tel qu'on le tâte au fond grouillant du sac se marque aussi dans la petite sculpture des cathédrales et, de nos jours, dans l'œuvre de Daumier, de Gavarni, de Guys, de Toulouse-Lautrec, de Forain.

Il y a eu des gens pour trouver, en leur temps, Chardin trivial et Degas dévoyé. Mais, qu'on le veuille ou non, l'art français n'est pas un art de tout repos. C'est un art qui n'a reculé devant rien, ni devant le vertige mystique avec tous ses faux départs et ses culs-de-sac (surréalisme), ni devant les fascinations butées du réalisme (naturalisme).

Céline, lui, est bien équilibré. Céline a le sens de la santé. Ce n'est pas sa faute si le sens de la santé l'oblige à voir et à mettre en lumière toute la sanie de l'homme de notre temps. C'est le sort du médecin qu'il est, du psychologue foudroyant et du moine visionnaire et prophétisant qu'il est aussi.

Il y a du religieux chez Céline. C'est un homme qui ressent les choses sérieusement et qui, en étant empoigné, est contraint de crier sur les toits et de hurler au coin des rues la grande horreur de ces choses. Au moyen âge il aurait été dominicain, chien de Dieu; au xvie siècle, moine ligueur. Il y a du religieux chez Céline dans le sens large du mot : il est lié à la totalité de la chose humaine, bien qu'il ne la voie que dans l'immédiat du siècle. Et peut-être, dans un sens plus étroit, y a-t-il du chrétien chez lui? Cette horreur de la chair... Mais, somme toute, non. Cette horreur n'est que pour la chair avariée. Au-delà, Céline voit une chair lavée, lustrée, sauvée, pétillante de gaîté, élancée de joie. Cela éclate, entre autres, aux dernières pages de son livre, *Les Beaux Draps.*

Il ne voit pas la chair définitivement condamnée comme Bernanos, dont du reste toute la robustesse proteste contre l'anathème qui sort d'elle. Il est plus près de Giono.

Qui écrira le livre de large critique dont nous avons besoin, l'éloge approfondi des grands écrivains de tempérament, des grands stylistes qui font l'honneur de notre génération : Bernanos, Giono, Céline, Montherlant? Ces quatre-là, en dépit de leurs défaillances partielles, de la hâte ou du porte-à-faux de certaines de leurs œuvres et des filets de corruption qu'ils reçoivent de l'époque, représentent l'élément mâle dans notre âme.

Pour refuser Céline, ne vous dérobez pas derrière le dégoût de la politique. Car il y a toujours la politique dans l'œuvre d'un écrivain vivant. Quel est le grand écrivain français qui n'a pas pris parti, depuis le xvie siècle jusqu'à nos jours? Ceux du xviie ont pris parti comme ceux du xvie et du xviiie. Ceux du xxe prennent parti comme ceux du xixe. Du reste, le parti de Céline est des plus larges — déconcertant par sa largeur comme celui de Bernanos, à l'autre bord. Il réunit le racisme et le communisme; l'autre est royaliste et antifasciste, gaulliste et antisémite.

Les bons écrivains traversent ainsi, bousculeurs et inconvenants, le vif des bagarres; c'est à travers cet éphémère qu'ils atteignent à l'éternel, comme par aventure.

Céline n'est pas qu'un pamphlétaire. Il a écrit un grand roman : *Voyage au bout de la nuit.* Et un autre, par malheur tronqué : *Mort à crédit.* Et un autre par malheur inédit : *Casse-Pipe.* Là encore il est dans une tradition bien certaine, celle du réalisme français qui en cours de route, à force de se débrider, se dépasse et se surpasse et devient une sorte de surréalisme, mais un surréalisme qui reste solidement attaché à l'humain. C'est la lignée de Charles Sorel dont on ne lit jamais dans le texte entier *La Vraie Histoire Comique de Francion,* de Marivaux qui n'a pas fait que des comédies de salon, d'ailleurs aiguës, mais aussi *Le Paysan Parvenu* et *Marianne,* de Restif de la Bretonne. C'est aussi la veine des romans de Hugo.

Le style même de Céline se justifie par la nécessité. Comment montrer la vérité de notre temps dans tout son stupre démocratique et primaire, dans son immoralisme à la petite semaine, dans son épicurisme de faubourg, dans son obscène inculture de salon, dans sa désespérance qui feint d'être faraude, si l'on ne rompt pas avec tout académisme, si l'on n'avoue pas par un procédé patent la syntaxe et la structure de la pensée usées et tordues?

Céline manie le langage populaire avec une science consommée, une ruse supérieure. Céline se sert du célinisme comme les derniers peintres se sont servis du fauvisme ou du cubisme. Dans une décadence, ceux qui l'acceptent franchement, qui la déclarent, sont ceux qui peuvent encore s'exprimer.

Céline n'a pas reculé devant les moyens décisifs pour nous montrer à nous-mêmes tels que nous sommes, les Français de la débâcle. Savonarole élevait ses bûchers, où il consumait un des arts les plus exquis du monde, peu d'années avant la prise de Florence.

Mais au-delà de sa psychologie implacablement exacte du Français et de l'homme moderne, au-delà de son pessimisme et de sa furieuse dépréciation de ce qui est moribond, au-delà même de ce très haut surréalisme qui éclate dans certains épisodes du *Voyage au bout de la nuit,* Céline voit la vie resplendir à nouveau. Il ne tient qu'à nous de la voir aussi, et de lui donner l'occasion de la chanter.

Robert Brasillach

En relisant le « Voyage »

Les extraordinaires pamphlets de Louis-Ferdinand Céline : *Bagatelles pour un massacre, L'École des cadavres, Les Beaux draps,* ont peut-être fait oublier à beaucoup des admirateurs de notre dernier prophète qu'il apparut tout d'abord dans l'univers littéraire comme un romancier. Si illustre que soit toujours le *Voyage au bout de la nuit,* si inoubliable que nous demeure l'arrivée de ce cyclone, on le néglige trop, me semble-t-il, dans la composition de ce prodigieux phénomène artistique qu'est Céline. C'est que l'art importe peu aux amateurs de politique, et qu'on s'intéresse plus aujourd'hui aux théoriciens qu'aux créateurs, ce qui est dommage. Après plus de dix ans (le *Voyage* a paru à la fin de 1932), il n'est pas mauvais, cependant, de tenter l'épreuve de la durée : et puis, nous connaissons mieux, maintenant, l'immortel Bardamu, râleur et courageux, nous pouvons joindre à ses réactions anciennes celles que lui ont inspirés les Juifs, le Front populaire, Moscou, le bellicisme, la défaite, la Révolution Nationale. Le *Voyage* continue, il ne s'arrêtera jamais que chez les morts, ce que Céline nomma un jour magnifiquement dans une lettre : *« la vraie patrie des entêtés ».* Relisons le *Voyage :* il en vaut la peine.

C'est d'abord une admirable création romanesque dont on se rappelle le bruit d'orage qu'elle fit quand elle éclata sur nous. Avec le temps, sa densité semble s'être encore accrue, son aspect éternel a pris son poids. Par-delà le roman exsangue du XXe siècle, par-delà même les grandes

ROBERT BRASILLACH, « En relisant le *Voyage* », *in Révolution nationale* [Paris], 25 septembre 1943; repris *in Les Quatre Jeudis,* éd. Balzac, 1944 et *Œuvres complètes,* tome 8 © Club de l'Honnête Homme, 1964.

œuvres françaises du XIXᵉ, il me semble que c'est au XVIIIᵉ siècle méconnu qu'elle s'apparente. Plusieurs fois on songe à ce chef-d'œuvre mal fréquenté de Daniel de Foe, *Moll Flanders,* à son lyrisme, à sa manière de prendre le monde comme scène désinvolte et de tout soudain rétrécir à la misère de la grande ville, à ses tire-laine et à ses meurtres obscurs. Mais Moll Flanders est plus inconsciente que Bardamu, héros du *Voyage.* Roman à tiroirs comme tant de romans du XVIIIᵉ siècle, roman de la ville embrumée où Paris rappelle de façon frappante le Londres de Dickens, son prolétariat écrasé et ses voleurs dans le brouillard, création débraillée et vraiment unique...

En le relisant, on le juge peut-être mieux, on en différencie mieux les parties et le développement. Le roman de la guerre y résume des tonnes de littérature guerrière, et c'est un chef-d'œuvre anarchique et violent; le roman de la colonie suintant de sueur aigre, dévoré de moustiques, abruti de soleil, est de la même veine et de la même ardeur; le roman de l'Amérique ne leur cède en rien; et le récit de la famille Henrouille, petits rentiers de banlieue pauvre, où se perpètre un meurtre sordide, où une bru veut tuer sa vieille belle-mère, ou un bohème besogneux se charge de l'assassinat, est une inoubliable estampe de la misère moderne, avec son médecin miteux, ses petites gens avares, ses chemins défoncés, ses maladies dans les lotissements. La fin du livre ne se maintient peut-être pas à ces hauteurs, et Bardamu, devenu médecin d'asile, voit se dénouer par le meurtre de l'assassin besogneux le drame de la famille Henrouille dans une atmosphère un peu lâchée et au milieu de quelques redites. Mais la couleur des trois quarts de cet épais volume demeure inaltérée sur un fond de tempête et de plomb.

C'est par le vocabulaire que le *Voyage* a surpris. L'argot s'y déverse avec une abondance qui choqua. Aujourd'hui que Céline est allé beaucoup plus loin dans cette voie, le langage de son premier roman nous paraît presque classique. C'est que la syntaxe aussi y est plus proche du français littéraire, elle y est plus variée, alors que dans les œuvres qui ont suivi, avec des phrases courtes, séparées par de sempiternels points de suspension, elle est d'une monotonie et d'une indigence qui confondent parfois. Ajoutons que tout est clair dans le *Voyage* : peu de mots inventés ou déformés, qui abondent ailleurs et dont l'invention, souvent splendide, est aussi quelquefois inutile et abusive. Point d'épisodes saugrenus, d'un surréalisme de la canaille, point de petits ballets macabres et de fantaisie débridée comme dans *Bagatelles,* point de ces pages pleines de points d'exclamation et de danses de scalp un peu hystériques, qui, selon l'humeur, éblouissent ou déconcertent. L'argot est ici utilisé, avec ses raccourcis, ses mots, son naturel, mais dans un cadre plus châtié. Et, disons-le tout net : la réussite est beaucoup plus saisissante. Qu'on fasse l'expérience, et qu'on relise le *Voyage* : on aura l'impression un peu surprenante d'aborder un texte classique, où rien ne nous surprend dans l'abord, où tout est à la fois lisse, dur et ténébreux. C'est la façon de vieillir qu'ont les grandes œuvres.

Et sans doute, quand le roman parut, fut-on peut-être moins sensible à la vérité de tant de peintures atroces, ou à l'agencement classique et savoureux de ce Bardamu lancé à travers la planète comme Candide le fut à travers, lui aussi, la guerre, les colonies, l'amour et l'argent. Mais on comprit tout de suite ce que nous comprenons toujours : que ce livre est un des plus parfaits livres de *réfractaires* de notre littérature. Nos écrivains ont toujours été des bourgeois : c'est le bourgeois Hugo qui est l'auteur des *Misérables.* Vallès, authentique révolté, n'est rien à côté de Céline. Céline est en querelle avec l'univers entier, il connaît la canaillerie bourgeoise, et il connaît la bassesse prolétarienne, il n'a pas d'illusion sur aucune classe, sur aucun être. La guerre est immonde, la société est immonde, l'homme n'est qu'un horrible termite dans ses grandes villes sales et puantes — et, si la campagne ne vaut pas plus cher, en outre, elle est ennuyeuse. Le *Voyage* est un acte d'accusation total, et la suite des œuvres de Céline n'est qu'une série d'accusations fragmentaires, contre le Juif, contre la société, contre l'armée, contre Moscou, contre la République bourgeoise. Quelle ironie de penser qu'il eût pu être embrigadé malgré lui chez les littérateurs petits bourgeois du Front populaire!

Cette révolte instinctive dresse devant nous ses durs tableaux, où la ville surtout apparaît avec une puissance inégalée. Il y a un Paris de Balzac, en vingt volumes, un Paris de Baudelaire, en vingt vers, il y a aussi un Paris de Céline, ou plutôt une banlieue, cette banlieue ignorée de nos romanciers, décor de la vie de millions d'êtres, planète pelée, patrie de la tuberculose et de l'alcoolisme, des enfants rachitiques, des économies sordides, des rentiers agonisants. C'est le monde de Céline, monde affreux, image du monde moral où le xixe siècle bourgeois et industriel s'est accompli, dans la barbarie et l'esclavage social. Alors, la langue de Bardamu, avec ses scories et son argot promis au trop prompt vieillissement (rien ne vieillit malheureusement plus vite que l'argot), mais aussi ses trouvailles et son rebondissement, paraît la seule capable de traduire ces photographies noircies, virées dans un bain amer.

Tout est-il donc perdu? Aucune lumière ne peut-elle donc luire dans cet univers condamné? J'ai cherché dans le *Voyage* les petites lanternes du salut. Elles y sont, bien battues de la tempête. Sur son rivage africain, Bardamu rencontre une bonne brute de sous-officier : il a dans une cassette le portrait d'une petite nièce, et, pour elle, il reste six ans de suite aux colonies, il souffre le soleil, la maladie, la mort possible, afin de pouvoir lui envoyer de l'argent.

Il tutoyait les anges, ce garçon, et il n'avait l'air de rien. Il offrait à cette petite fille lointaine assez de tendresse pour refaire un monde entier, et cela ne se voyait pas... Il avait l'air bien ordinaire. Ça serait pourtant pas si bête s'il y avait quelque chose pour distinguer les bons des méchants.

Et puis, en Amérique, il y a la fille de maison, bonne et douce, dont Bardamu garde un souvenir si chaud et si vivace. Je crois que c'est tout. C'est beaucoup. C'est beaucoup, parce qu'en outre il y a les enfants.

Dans *Les Beaux draps,* ce pamphlet sur la défaite, si dur pour tous, on découvre à la fin quelques pages émues et précises à la fois sur l'éducation, sur ce qu'on peut faire des enfants, qui n'ont pas le cœur encore pourri. On s'est parfois étonné de cette fraîcheur. Elle est déjà dans le *Voyage.*

Tant qu'il faut aimer quelque chose, on risque moins avec les enfants qu'avec les hommes, on a au moins l'excuse d'espérer qu'ils seront moins carnes que nous autres plus tard... On n'est jamais très mécontent qu'un adulte s'en aille, ça fait toujours une vache de moins sur la terre, qu'on se dit, tandis que pour un enfant, c'est tout de même moins sûr. Il y a l'avenir.

L'avenir, ce n'est pas sûr, bien entendu. Mais c'est une espérance, c'est la forme la plus séduisante de la vie. On aime à la découvrir chez cet écrivain des catastrophes futures, qui a si souvent prophétisé le mal à venir avec une implacable justesse.

Peu d'années avant l'écrasante défaite, qui devait frapper le monde où nous vivions, la condamnation avait déjà été prononcée par le *Voyage.* Là est son importance historique, comme *Les Liaisons dangereuses,* sur un autre plan, ont prononcé la condamnation de la société aristocratique que devait décapiter la Révolution. Mais l'importance historique n'a jamais suffi à assurer valablement la destinée d'un livre. Ce qui fait le mérite éclatant du *Voyage,* au-delà des contingences qui l'ont vu naître — l'épanouissement bourgeois, l'euphorie de la Société des Nations, la France sur « la route joyeuse de ses destinées », comme l'affirmait alors un de ses gouvernants — c'est sa puissance visionnaire. Ce livre dont la base est réaliste dépasse constamment le réalisme. La guerre y est rappelée, non par des détails vrais, mais par une sorte de reconstruction lyrique, noire et boueuse. C'est sur une galère que Bardamu gagne l'Amérique, et ce détail invraisemblable est significatif : nous sommes emportés au-delà de la plate transcription du réel, comme dans quelques anciens films trop rares où l'envers du monde était révélé. Jamais esclave, ni d'une technique, ni d'une morale, ni d'une politique, Céline a commencé avec le *Voyage* sa sombre vitupération d'un univers sans Dieu, et, en le faisant, il a prédit d'avance les catastrophes inscrites dans le ciel au-dessus de l'édifice vermoulu. Il fallait que quelqu'un se dressât pour dire non aux mensonges de notre civilisation et pour brosser d'avance les visions de l'*Apocalypse*.

Le *Voyage* est une épopée noire, charbonneuse et souillée, où l'homme moderne est magnifiquement insulté par un poète au cœur forcené, qui n'a peut-être jamais cru qu'aux enfants.

René Vincent
[*La geste*
d'un monde désubstancié et vide]

Que l'on goûte bien, peu, mal, ou pas du tout, la manière assez particulière de M. Louis-Ferdinand Céline, il est certain que son *Voyage au bout de la nuit* a marqué bruyamment une date de notre après-guerre littéraire. Œuvre d'avant-garde, en ce sens qu'elle préfigura en un temps apparemment paisible, les bouleversements, les incohérences et les troubles d'un monde agité et déchiré par des soubresauts qui demeurent encore obscurs, ce roman étrange fut, en général, mal compris.

La grossièreté systématique de l'auteur, qui recourt avec une opiniâtreté digne d'un meilleur usage, à un langage délibérément stercoraire et scatologique, sa virulence souvent ordurière, son application constante, insistante à un vocabulaire repoussant ou ignoble, le firent ranger dans la postérité avancée du naturalisme.

RENÉ VINCENT, « L.-F. Céline : *Guignol's band* », *in Demain* [Paris], 28 mai 1944.

M. L.-F. Céline, d'ailleurs, ne fut-il pas l'orateur officiel des célébrants d'Émile Zola? — Il apparaît cependant, aujourd'hui, que cette classification était arbitraire et procédait d'un point de vue bien superficiel.

En réalité, M. L.-F. Céline est [non] un réaliste excessif, mais, à sa manière, un lyrique. S'il y eut entre 1919 et 1939, dans la littérature française, une œuvre vraiment épique, ce fut — hélas! — le *Voyage au bout de la nuit*. Tout ce que ce livre singulier contenait d'inquiétude, de désespoir, de révolte, on ne devait le comprendre que plus tard, lorsque les épreuves qu'allait connaître la France au cours de la défaite, de la débâcle et de l'exode de 1940, auraient révélé la signification profonde de ce cri déroutant. En réalité, M. L.-F. Céline fut une sorte de voyant, de prophète du malheur, dont le ton apocalyptique, chargé de rudes imprécations et d'invectives outrancières, exprimait l'incompréhension d'un peuple en face d'événements monstrueux. Ce n'est pas à Zola qu'il faut se référer à propos de M. L.-F. Céline, mais bien, toutes mises au point faites, à Léon Bloy.

Un monde, cependant, sépare Bardamu du « Mendiant ingrat » et c'est l'univers spirituel : M. L.-F. Céline est le héraut d'une société sans la grâce, d'une société matérialiste en rébellion contre son ordre étouffant. L'œuvre de M. L.-F. Céline est une revendication de l'homme animalisé par une civilisation sans horizons spirituels, dont la protestation négative mérite d'être retenue comme le cruel témoignage d'une époque. Il passe sur cette œuvre le souffle asphyxiant qui émane des banlieues lépreuses, d'une humanité asservie à la tyrannie de l'or, et de ce monstre de la réalité moderne : le prolétariat. Rivé au temporel, M. L.-F. Céline transpose dans une sorte de prophétie humaine et laïque, les insurrections d'un Bloy, elles, tendues vers un recours au divin.

Le nouveau roman que vient de publier M. L.-F Céline reste dans le cadre étroit qu'assignait à son art le *Voyage au bout de la nuit* et qui fut aussi celui de *Mort à crédit*. S'agit-il d'un procédé? On peut le craindre, bien que la

verve de l'auteur ne semble point s'être tarie, et ses admirateurs, eux-mêmes, s'avouent déçus.

Avec *Guignol's band,* nous nous retrouvons, en effet,
dans ce monde hors la loi, dont la dérision caricaturale
paraît enchanter M. L.-F. Céline et lui offre en tout cas
prétexte à toutes les divagations verbales qui constituent
le meilleur de son talent. Le récit se déroule dans le
« milieu » interlope des bas quartiers de Londres en 1914!
Il nous présente une faune singulièrement avilie, celle des
apaches, des mauvais garçons et des filles, excroissance
morbide des grandes villes, en une fresque brutalement
coloriée. L'action est nulle et, cependant, M. L.-F. Céline
réussit à tenir le lecteur en haleine par une suite incohé-
rente de descriptions véhémentes et d'invectives. Les
personnages parlent sans cesse, en proie à un délirant
bavardage qui, lorsque l'on a surmonté le dégoût du propos littéral, n'est point sans saveur. Moins encore que le
Voyage au bout de la nuit, Guignol's band est un véritable
récit, mais une succession inarticulée de scènes animées
dont il serait sans doute vain de chercher la signification.
De ce point de vue, malgré une atmosphère semblable,
Guignol's band n'offre pas la même profondeur que le
Voyage au bout de la nuit. C'est une œuvre essentiellement
superficielle qui prête peu à philosopher : c'est la geste
d'un monde désubstancié et vide, peut-être une satire de
la frénésie belliqueuse dont le sel sera plus sensible en des
temps plus pacifiques.

Le style de M. L.-F. Céline, lui aussi, marque une
décadence : de plus en plus haché, précipité, informe,
il tend à un langage informulé, abusant du vocatif, de
l'exclamation, de l'invective, des points de suspension
qui dispensent de l'achèvement des phrases, de toute une
ponctuation haletante qui cisaille les mots et rompt l'enchaînement logique du discours.

D'où vient, alors, que le talent de M. L.-F. Céline se
manifeste cependant avec puissance dans ce roman si en
marge de la tradition littéraire? Sûrement d'une extraordinaire richesse verbale. D'un sens exceptionnellement

aigu de la langue parlée qui inspire à l'auteur des trouvailles incomparables. Le style de *Guignol's band* c'est le raffinement à peine visible par un médecin cultivé, nourri d'humanités, du langage des crocheteurs de la halle et des portefaix; c'est l'intronisation de l'argot dans la littérature. Une telle entreprise, infiniment utile à une langue en formation et dont le génie verbal d'un Rabelais a pu enrichir le langage littéraire naissant, est malheureusement aujourd'hui stérile. Il constitue même une inquiétante menace de régression à une époque où la langue française, si menacée par les trivialités de la conversation et l'ignorance de la foule, est, dans la pratique, en voie d'abâtardissement et de dégénérescence.

Là est le danger de l'œuvre de M. L.-F. Céline, plutôt que dans le scandale qu'elle suscite par ses violences formelles, par ses outrances grossières et par le parti pris de pessimisme qui la marque désormais plus à la surface que dans sa réalité de plus en plus inconsistante et diffuse.

L'esthétique de l'œuvre de M. L.-F. Céline s'inspire sans doute, pour une large part, de la formation médicale de son auteur : il serait aisé d'y déceler et d'y souligner, dans la forme comme dans le fond, l'influence de l'hôpital, de la pratique aussi de cette humanité mise à nu qu'est, pour le médecin, l'humanité malade.

Jacques de Lesdain
[*Il est heureux qu'il soit inimitable*]

[...]

Je voudrais discuter aujourd'hui d'un ouvrage dont la mise en vente était attendue comme un événement. Il s'agit de *Guignol's band,* la dernière œuvre de Céline.

JACQUES DE LESDAIN, « A propos de *Guignol's band* », *in Aspects* [Paris], 2 juin 1944.

Je déclare *ex abrupto* que, pour des motifs que je vais énumérer, je ne me range aucunement du côté des thuriféraires du célèbre auteur. Avant de critiquer, je tiens, cependant, à rendre justice à Louis-Ferdinand Céline sur des points qui ne sont pas discutables.

Tout d'abord, il a eu le courage de prendre parti dans ses premiers ouvrages contre Israël et ses méthodes, contre la ploutocratie et les abominations de son système social, et de le faire à une époque où, en fustigeant et en dénonçant, il remontait vigoureusement un courant de complice facilité auquel la généralité des auteurs s'abandonnait par veulerie. Je sais qu'il serait facile de dénombrer, en ce moment et à Paris plus d'une douzaine d'écrivains qui ont mené le même combat, qui se sont attaqués aux mêmes puissances, avec moins de truculence, mais avec autant de netteté ou même davantage. Il n'en demeure pas moins que les Céline d'avant guerre retentissaient comme des cris d'alarme, comme des protestations sincères contre la déliquescence démocratique, et ceci ne constitue pas un mince mérite.

Admettons ensuite que l'allure excessive de son style, sa brutalité cynique, sa grossièreté même, la simplification des intrigues ou leur absence (à condition que ces traits caractéristiques de l'œuvre célinienne ne deviennent pas à leur tour un système et ne soient pas figés en une manière immuable), pouvaient passer pour une légitime et utile protestation dirigée contre les quintessences, les raffinements exagérés, les préciosités intellectuelles et l'éternel rabâchage des mêmes sujets amoureux par des écrivains qu'une critique ayant renoncé à ses droits nous présentait comme les maîtres de la pensée moderne.

Enfin, il ne viendrait à l'idée d'aucun essayiste de bonne foi de nier la verve étourdissante, l'ironie mordante et douloureuse, le sens extraordinaire du rythme poétique qui font des écrits de Céline de véritables anomalies littéraires. L'accumulation des mots à effet et des adjectifs, un incessant déferlement de scènes, la suppression ou l'emploi inattendu des verbes, une manière d'accumuler les

images si précipitée et si saccadée qu'elle rappelle les
rafales d'une mitrailleuse, rendent inimitable, heureusement inimitable, un écrivain qui, à tous les points de vue,
est sorti depuis longtemps du commun. Il est d'ailleurs
assez comique de constater le piètre résultat obtenu par
quelques néo-céliniens dans leurs efforts pour se rapprocher de leur maître. Ils réussissent à écrire argot ou pire,
ce qui n'est qu'une question de vocabulaire, mais le feu
intérieur, l'espèce de démon qui possèdent Céline écrivain
ne sont pas passés en eux. On doit leur conseiller de se
lancer avec circonspection sur les traces d'un homme qui
marche trop vite et parcourt des chemins trop étranges
pour qu'on le puisse rejoindre.

Ceci dit, je ne dissimulerai pas que *Guignol's band* m'a
causé une profonde déception et occasionné un sentiment
de malaise.

Je m'attendais à découvrir dans le nouvel ouvrage de
Céline une prise de position nette et sans ambages sur les
questions politiques et sociales actuelles. J'étais persuadé
que l'homme qu'avaient troublé les possibilités, puis les
probabilités, d'une guerre stupide, qui avait dénoncé
l'œuvre nocive des Juifs et l'aboutissement monstrueux
et sanglant dans lequel leurs criminelles manigances
devaient nous culbuter, trouverait dans les tragiques circonstances de ces quatre dernières années le magnifique
tremplin d'un élan vengeur et d'une revendication puissante des droits réels des communautés. Je m'étais imaginé
que Céline fouaillerait d'un knout inexorable les épaules
de ceux auxquels nous sommes redevables de notre misérable condition. Il me semblait qu'un Céline, pourfendeur
des hypocrisies, se devait d'être net et dynamique dans
la poursuite d'un but moral et social et que des sentiments
humains et de l'attitude politique réaliste dont il avait
fourni la preuve dans ses premiers ouvrages sortirait un
nouveau pamphlet magnifié à la hauteur des drames que
nous vivons. Il ne m'était pas venu à l'idée qu'il pourrait
écrire quelques centaines de pages bourrées de descriptions
grossières, inlassablement répétées, sans que se fassent jour

des revendications en accordance avec les angoisses que nous subissons.

J'ai dû, cependant, me rendre à la réalité. *Guignol's band* n'est pas autre chose qu'un kaléidoscope d'images pénibles, souvent ordurières. C'est, si l'on préfère, une fresque tout au long de laquelle sont dessinés des voyous, des souteneurs, des filles, des proxénètes, des fous et des voleurs. Que vous commenciez le livre par le début ou par la fin, il n'a pas plus de sens, pas plus d'utilité. Un talent supérieur s'est appliqué à narrer pendant trois cent quarante-huit pages les aventures, imaginaires en général, mais parfois vraisemblables d'un monde d'arsouilles, de lamentables comparses de déchets d'humanité. Il nous présente ce ramassis d'individus, il nous décrit ses comportements abjects, ses trivialités, ses crimes et ses folies comme un témoignage adéquat du monde tel qu'il est. De toute évidence, Céline n'a éprouvé d'autre ambition que de nous intéresser une fois de plus aux tristes sires qui, selon lui, composent l'humanité européenne. Les répugnantes histoires de ses héros deviennent vite fastidieuses, et le fait qu'il les décrit avec un incroyable brio et imagine, comme en se jouant, des situations grand-guignolesques, ne le dispensait pas de donner une directive à son livre, un objectif à sa plume. Quand on a été le Céline anticipateur, le Céline vengeur des faibles, on n'a pas le droit de n'être plus qu'un Céline remueur de poubelles et de trahir ainsi ceux qui attendaient un appui et une orientation. Le Céline de 1944 se garde bien de se brûler les doigts aux sujets actuels. Le grand destructeur des Juifs oublie jusqu'à l'existence d'Israël. Le socialiste intégral néglige d'attirer notre attention sur le péril bolcheviste. Serait-ce qu'en lui-même il ne le considérerait plus comme un danger pour l'Europe? Il n'écrit pas un mot sur l'Angleterre, pas un mot sur l'Amérique, pas un mot sur les Soviets. Il ne découvre pas dans son stylo une goutte d'encre pour le fait national-socialiste. Nos désastres nationaux, nos pertes de prestige et de territoires, notre amenuisement dans le monde et notre besoin de relèvement même n'ont pas tenté Céline. De tels sujets étaient ingrats, me dira-t-on, peu flatteurs pour un romancier? Qu'à cela ne tienne. Quel livre splendide Céline n'eût-il pas ouvert devant nos yeux s'il avait voulu (pour ne suggérer qu'un thème) dramatiser à sa manière la tragique erreur des maquisards. Quels développements prodigieux de son talent s'il avait fustigé de son implacable faconde nos fauteurs de guerres civiles! N'eût-il pas découvert, en fouillant le maquis, la possibilité de scènes dépassant encore en terreur et en vérité la mort de l'usurier Claben? Quels services n'eût-il pas alors rendus? Quel réconfort! quelle impulsion! Cette matière si riche en humanité que sont les suites de la guerre, matière si admirablement malléable pour un artiste comme lui, ne paraît aucunement l'avoir tenté ou séduit. Alors que la France de 1944 redoute dans l'anxiété un redoublement de ses souffrances, Céline s'abstient de prendre parti et transporte ses lecteurs à Londres en 1917. Il tente de les captiver par les faits et gestes, vils et répugnants, des marionnettes dont il tire les ficelles. Qu'a-t-il donc fait des promesses implicitement contenues dans ses écrits précédents et d'après lesquels il se devait d'apporter le réconfort de son verbe talentueux à ses compatriotes dans le désarroi? Céline a abdiqué devant les réalités. Il a rayé de son imagination les cinq dernières années, les cinq années qu'il avait prédites, les cinq années dont il eût dû, plus que tout autre, nous aider à réparer l'infernal gâchis. Et comme il sent bien que son livre ressemble à une abdication, il nous déclare que nous n'avons entre les mains qu'un premier tome et qu'un second tome, puis un troisième nous apporteront les éclaircissements qui nous manquent. Il est à croire que ces tomes II et III verront le jour après la guerre. Alors, évidemment, toutes les explications deviendront faciles.

C'est ainsi que se pose le cas littéraire Céline. *Guignol's band,* dépourvu de toute revendication sociale ou de toute directive politique, n'est plus qu'une œuvre d'imagination soumise à notre critique et dépendante d'appréciations diverses, une élucubration bizarre, puissante souvent, vivante toujours, grouillante même, mais monotone parce que monocorde et vulgaire sans rémission, en somme un tableau infiniment pessimiste, déprimant, écœurant. *Guignol's band,* c'est du Céline écrit par Céline avec la seule ambition de faire du « genre Céline », c'est-à-dire de nous présenter une fois de plus un mode très spécial d'expression que, pour ma part, je trouve extrêmement regrettable, non par bégueulerie, mais parce qu'il est déplorable qu'au cours de centaines de pages les états d'âme des protagonistes des scènes racontées ne puissent s'exprimer qu'en invoquant des fonctions intestinales, que les personnages, à eux tous, soient incapables d'exprimer une unique fois un sentiment décent et parce que cet aspect odieux et totalement faux de la vie est rendu dangereux par l'incontestable talent qui le soutient. Il introduit dans notre milieu affaibli un élément de décomposition des esprits dont nous n'éprouvions aucun besoin.

Encore une fois, je déplore que Céline en soit venu à « faire du Céline » comme d'autres faisaient ou font du Proust, du Giraudoux, du Claudel ou du Valéry. Céline pense et écrit, évidemment, aux antipodes de ces auteurs, mais il n'en mérite pas moins qu'on lui reproche cette spécialisation de style trop étroite qui, un jour ou l'autre, finit par faire dévier le talent le plus vigoureux. On pardonnait à Céline l'emploi de termes scatologiques parce qu'un souffle vivifiant et d'une haute portée parcourait parfois ses œuvres et les rafraîchissait. Céline réduit définitivement à sa seule manière, à son seul genre, à la répétition multipliée des mêmes mots, ne joue plus le rôle qu'on aimait lui attribuer.

Il est heureux, disons-le derechef, qu'il soit inimitable. Imaginez-vous les chefs-d'œuvre que mettrait au monde une école célinienne dont la seule ambition serait de nous plonger dans la boue avec l'espoir d'ahurir les bourgeois, ce qui daterait un peu.

III. UNE NOUVELLE CURIOSITÉ
(1952-1969)

1952-1955. L'exil et les difficultés que Céline a connus au Danemark n'ont pas été, comme on l'a cru, une période vide. Dans une semi-clandestinité il fait rééditer *Voyage au bout de la nuit, Mort à crédit* et publier *Casse-pipe,* deux ballets et un libelle. Parallèlement, il multiplie les interviews et les défenses dont une très importante correspondance privée se fait l'écho insistant. Enfin, obstinément, mais non sans hésitations, tâtonnements, il continue et renouvelle son œuvre. Jusqu'en 1955, après une condamnation surtout de principe et une amnistie prévisible, ce sont autant d'échecs définitifs. A leur corps défendant et presque avec nostalgie, les critiques les mieux intentionnés ne dégagent qu'une image d'inachèvement ou de médiocrité dont *Casse-pipe, Féerie pour une autre fois* et *Entretiens avec le professeur Y* ne se sont pas vraiment relevés.

Maurice Nadeau
Avènement de L.-F. Céline

On se rappelle que dès le *Voyage,* Céline eut des partisans et des adversaires également actifs et déterminés. A droite Léon Daudet, à gauche Georges Altman s'enflammèrent et firent campagne pour lui, alors que dans son ensemble la critique fut hargneuse et que le prix Goncourt auquel il pouvait légitimement prétendre cette année-là lui fut refusé. Les uns parlaient à son propos de génie, les autres de démence, et son livre fut à la fois considéré comme un chef-d'œuvre, comme un ouvrage pornographique, comme la preuve d'un attentat prémé-

MAURICE NADEAU, *in Littérature présente,* éd. Corrêa, 1952 © Buchet Chastel.

dité contre la langue française. Les cris d'admiration ou d'indignation redoublèrent quelques années plus tard avec *Mort à crédit* où l'auteur exagérait ce que certains appelaient ses qualités, d'autres ses défauts, et il fallut en somme *Bagatelles pour un massacre* et *L'École des cadavres*, puis l'occupation, pour que la majorité de ses partisans vînt rejoindre la troupe de ses adversaires et tombât d'accord avec elle sur ce qu'on a désormais appelé « la folie » de Céline. Si *Les Beaux Draps* eut un succès de circonstance, *Guignol's band* suscita peu de réactions passionnées, et il n'est presque personne aujourd'hui qui attende une nouvelle œuvre importante d'un homme malade, aigri, usé, en proie à la mégalomanie et au délire de persécution. Le moment est donc venu d'essayer de faire le point, de déterminer la place qu'occupe Céline dans la littérature contemporaine, de se demander s'il a marqué celle-ci et dans quelle mesure.

Il est apparu à un moment précis de l'entre-deux-guerres : les années 30, qui marquèrent un tournant dans l'évolution des idées et, littérairement, un renouvellement des genres poétique et romanesque. C'est l'époque où pour la première fois depuis 1919, la bourgeoisie française commence à s'inquiéter de son avenir. Elle manifeste des doutes sur la pérennité d'un régime, déjà ébranlé par la guerre de 1914-1918, qu'elle croyait pour longtemps stabilisé par les traités de paix. Elle ne voit partout dans le monde que menaces de guerre ou de révolution auxquelles il lui sera difficile de se soustraire. Avec cette faculté de généralisation que porte en elle l'inquiétude on proclame que si rien n'est perdu tout est à sauver et notamment une certaine conception de l'homme et du monde. Où l'on ne s'entend plus, c'est sur le contenu de cette conception dont une nouvelle génération d'écrivains déclare qu'elle ne saurait être en tout cas la conception traditionnelle telle que l'a illustrée et laissé mourir la génération précédente.

C'est par suite le moment où toute une part des écrivains vivants entrent brusquement dans l'ombre. Ils continuent d'écrire et de publier aux applaudissements de la critique officielle, mais ils ne répondent plus aux questions que se pose l'homme angoissé de 1930. Ce n'est pas dans Claudel ou Mauriac que le chrétien ira ranimer sa foi, mais dans Bernanos qui fait paraître *L'Imposture*, *La Joie*, *La Grande Peur des bien-pensants*. L'inquiétude morale et la disponibilité constante d'un Gide paraissent fades à côté du vin capiteux que verse Malraux par *Les Conquérants*, *La Voie royale*, *La Condition humaine* (Gide s'en apercevra à temps pour opérer une conversion hésitante et malaisée vers le communisme et retrouver ainsi une seconde jeunesse). A l'univers clos et ouaté d'un Duhamel et d'un Martin du Gard succèdent l'univers dangereux d'un Saint-Exupéry, l'univers dérisoire d'un Queneau. A l'esthétisme et l'intelligence de Valéry, Giono oppose le retour à la vie naturelle et aux instincts primitifs, Michaux les longs périples dans l'inconscient, Aragon les prises de position passionnées (il quitte le groupe surréaliste qui se met lui-même « au service de la Révolution »). C'est également le moment où Céline lance son *Voyage* qui, le premier moment de stupeur passé, déclenche le scandale. Provocateur, incendiaire, pornographe, aucune épithète injurieuse ne lui est épargnée, alors que monte en même temps vers lui l'amitié de ceux qu'a touchés le long cri insupportable d'une âme irrémédiablement blessée, la mise en accusation totale d'un monde en déconfiture. Négativiste forcené jusque dans sa manière d'écrire, il se sépare de tous les écrivains apparus en même temps que lui ; par son inspiration, son projet et la façon qu'il a choisie de le réaliser, il s'oppose même à eux. Il commence sa carrière d'outlaw.

Le point de départ commun des autres est en effet l'homme, mais un homme qui espère encore infléchir les événements qui le menacent et qui s'essaie à les surmonter par le propre dépassement de sa condition. Céline est le seul à prononcer un non catégorique. Il n'y a pas de salut possible pour l'homme jeté dans un monde voué à la « vacherie » universelle, et nulle possibilité pour lui de se dépasser. « La vérité de ce monde c'est la mort », et la vérité de l'homme c'est la pure et simple sauvegarde de sa peau. Tous les moyens sont bons pour « se sauver de l'étripade » et jusqu'aux plus moralement condamnables : le mensonge, la trahison, la lâcheté. N'ayant pas choisi d'être ce que nous sommes, il nous faut nous accepter tels que nous sommes : pervers, hypocrites, égoïstes, menteurs et surtout lâches à n'en plus finir. Le monde depuis qu'il est monde ne peut apparaître que comme une entreprise organisée de banditisme et d'assassinat dont les pauvres seront perpétuellement victimes. La seule sagesse est d'apprendre à se garer des coups. On n'y parvient qu'après un déploiement infini de ruses et de soumissions apparentes, puis, quand le maître a le dos tourné, par la fuite. Nous sommes semblables à ce « clebs » dont parle Céline au début de *Mort à crédit* et qu'il a recueilli chez lui : « C'était un chien trop craintif. Il avait reçu des coups trop durs. La rue c'est méchant. Le lendemain en ouvrant la fenêtre, il a même pas voulu attendre, il a bondi à l'extérieur, il avait peur de nous aussi. Il avait cru qu'on l'avait puni. Il comprenait plus rien aux choses. Il avait plus confiance du tout. C'est terrible dans ces cas-là. » Et Bardamu fuit la guerre, l'Afrique, l'Amérique, la banlieue, la médecine, l'amour, fuit les hommes... jusqu'à Copenhague. « Il faut choisir : mourir ou mentir. Je n'ai jamais pu me tuer, moi. »

Ce thème de la « méchanceté » du monde et du malheur sans remède de l'homme qui ne peut faire autrement que la subir est devenu le poncif d'une littérature « noire » actuellement en pleine prospérité. Mais c'est devenu un thème philosophique surchargé des notions d'« absurde », d'« angoisse » et de « néant », ou pis un thème littéraire : celui du « tragique ». On ne saurait aujourd'hui raconter les aventures de n'importe quelle existence boutiquière ou petite-bourgeoise sans la montrer aux prises avec les fatalités d'une condition humaine désespérée. M. Dupont, marchand de bretelles, menant pisser son chien, s'il rêve d'aventure aux jambes inaccessibles de sa première vendeuse, met le monde en question et se trouve plus à plaindre qu'Œdipe. Si sa petite poussée congestive ne trouve pas d'issue favorable c'est que les lois incompréhensibles d'un univers mal fait s'opposent aux tentatives que fait M. Dupont de dépasser sa condition. Il est pris dans un dilemme tragique. Entre ses aspirations idéales et son existence dérisoire. Il se sent devenir plus grand que nature.

Un abîme sépare Céline de cette « profonde » littérature à la mode. Bardamu, employé de la Compagnie Pordurière, ouvrier chez Ford ou petit médecin de banlieue est un autre M. Dupont, mais un M. Dupont qui aurait, si l'on ose dire, la pudeur de son âme. Sa souffrance il la porte en lui et ne la déroule pas en phrases. Il n'est ni Prométhée sur son rocher ni Sisyphe, mais un sac de peau agité de soubresauts divers et cherchant à s'insérer pour vivre au point où toutes les forces déchireuses, griffeuses, contondantes et meurtrières du monde s'annulent et se neutralisent. C'est ce point qu'il cherche vainement dans le nouveau Monde et l'ancien, près de Molly la prostituée de Detroit, près de Nora la maîtresse de Meanwell College, près de Bébert de Rancy, dans le monde de la femme maternelle et de l'enfance. Mais pour y demeurer il faudrait que l'adulte redevînt lui-même enfant et, laissant la nécessité de la vie à gagner, à préserver, à entretenir, effectuât une impossible conversion dont il a seulement pour son malheur la nostalgie. Il n'y a pas de refuge. La vie près de Molly devient impossible à partir du moment où la prostituée prend sur elle tous les coups pour en préserver Ferdinand, où il ajoute à son malheur. Nora va se jeter dans la rivière qui longe Meanwell College. Bébert est emporté par la typhoïde. Il n'y a rien à faire contre le monde des mâles qui profite de la moindre brèche offerte par les univers préservés pour s'y insinuer et les faire craquer. On est toujours rejeté en plein milieu de « l'étripade ».

Cette vue foncièrement pessimiste du monde et de l'homme ne peut paraître qu'insupportable. Elle est le produit d'un homme dans ce qu'il a de plus animalement humain, de plus viscéral. Le non qu'il prononce est un non organique. Pour continuer de vivre sans ce molosse aux chausses il faudrait lui rentrer son aboi dans la gorge, pouvoir l'écraser à coups de talon. La haine qu'a suscitée

Céline et qui a eu la chance de se vêtir de prétextes politiques et raciaux est à son tour organiquement nécessaire, porteuse de meurtre. Personne n'a le droit, s'il n'est supérieur à l'humanité courante, de nous mettre jusqu'à l'asphyxie le nez dans notre ordure. S'il s'arroge ce droit il doit en supporter les conséquences. « J'aime mieux raconter des histoires. J'en raconterai de telles qu'ils reviendront exprès, pour me tuer des quatre coins du monde. Alors, ce sera fini et je serai bien content. »

Les Américains, toujours portés à exagérer, ont parlé de « sainteté » à propos de Céline. De quoi il a bien dû pouffer dans sa tanière de Korsor. Et pourtant, il y a dans son cas tant d'acharnement à courir jusqu'au bout de la perversité et du masochisme, tant de joie ricanante à se vautrer dans l'abjection, un défi si haut porté à prendre sur soi toute la sanie de l'espèce, un lamento si pitoyable et si monotone sur sa condition de gibier misérable et traqué qu'on se demande s'il n'a pas voulu polariser sur lui toutes les haines afin d'en débarrasser une bonne fois l'humanité. Quand il parle de « procès de sorcellerie » et se voit comme un « bouc émissaire », il se place sur le vrai plan où son cas doit être examiné : celui des sociétés qui pour durer ont besoin d'exorciser le mal par des rites magiques. Abattre Céline avec toute la somme de dégoût et de mépris qu'aurait réclamé cet acte n'eût pas été pire que de le laisser vivre. Là-haut sur la terrasse d'Elseneur, enfermé, comme dit Milton Hindus, dans son mensonge comme un abcès dans son pus, il n'a pas fini d'empoisonner l'humanité.

Il y avait pourtant en lui une somme de rêve et de poésie qui, si elle n'avait pas tourné en fiel (si les hommes ne l'avaient pas fait tourner en fiel), nous eût subjugués et ravis. On a crié haro! sur le scatologue, le dégoûtant naturaliste, le sous-pied de Zola et de Mirbeau réunis, le chantre de l'ordure, sans voir qu'il ne cachait rien de moins qu'une âme de midinette amoureuse de tous les aspects gentils de la vie, de toutes ces fleurs graciles qui dans les terrains vagues parviennent à pousser dans les interstices des vieux murs de béton. Ses « opéras fabuleux », à lui, sont de délicates et touchantes histoires de fées et de rois Krogold, comme il parvient à en semer au début de *Mort à crédit* et de *Bagatelles,* et l'on sait qu'il fit partir sa haine contre les Juifs, l'imbécile, d'un ballet rentré. Puisqu'on lui refusait le droit de régler le pas aérien des danseuses (« Le poème inouï chaud et fragile comme une jambe de danseuse en mouvant équilibre est en ligne, Gutman mon ami, aux écoutes du plus grand secret, c'est Dieu! »), il recommencerait à vomir le monde et à s'en prendre à la victime toute désignée de ce monde quand, agité de cauchemars, il se retourne dans son lit : le Juif. Il ferait chorus et puisqu'on en voulait bouffer du Juif, il désignerait aux crocs de la meute, tous ceux qui à ses yeux sont Juifs : le nègre, le franc-maçon, le métèque, le protestant, le radical-socialiste, le catholique et jusqu'au Pape lui-même. Tous Juifs, tous bons à tuer, à s'entretuer dans une capilotade dont Ferdinand serait l'unique spectateur. Voilà les effets de la poésie rentrée. Il fallait que comme son pessimisme elle lui tienne solidement au ventre.

Mais le poète l'est malgré lui, en dépit de tout et de son besoin d'engluer l'univers de sa bile. Le *Voyage,* comme *Mort à crédit,* comme *Guignol's band,* sont de vastes poèmes avec retour obsédant des thèmes, évasions de la réalité, transmutation de cette réalité en une matière de songe noir et visqueux, création éhontée et gratuite de personnages de fumée, envoûtement. Le *Voyage* c'est l'épopée de la nuit peuplée de cauchemars mécaniques avec apparition périodique de l'ogre qui torture, dépèce et tue, c'est la conspiration universelle de l'homme contre l'homme, montée comme dans l'épisode de l'« Amiral Bragueton » pour on ne sait quelles raisons mais dont le but est clair : il faut flanquer cet homme à la mer, il a une sale tête, il nous déplaît. Ferdinand a-t-il vraiment connu Molly? On ne sait. Mais ce n'est que dans les songes que vous prennent dans leurs bras pour vous y bercer des créatures faites de ce qu'un autre poète appelait « tout le lait du monde », douces, aimantes, préservées, abandonnant aux mâles leur corps poncé pour reverser sur l'enfant Ferdinand la bonté infinie d'un cœur intact. Et ce sale Robinson qui ressemble à Bardamu comme un frère et l'accompagne dans ses aventures comme un double, quel écrivain réaliste nous ferait croire qu'on ne peut faire autrement que de le retrouver partout à point nommé : à la guerre, en Afrique, à Detroit, au Rancy? Il est la projection poétique de Céline, bien noire et bien lâche, bien soulagée aussi de payer enfin sa crasseuse indifférence, comme Louis Lambert est la projection poétique de Balzac, comme le crucifié en rose de Miller est celui qui paie les pots cassés par l'auteur des Tropiques. Vaste poème également que *Mort à crédit,* poème des petits matins livides et déjà porteurs de toutes les souffrances de la journée, poème de l'enfance brimée, incomprise, martyrisée, obligée de composer avec ces animaux féroces que sont les hommes bien occupés à s'entredéchirer jusque dans l'amour, ce carnage, cette chiennerie. L'infini mis à l'amour maternel, accalmie rose sur le Golgotha avant l'éponge de vinaigre :

— Je veux m'en aller, mon oncle!... Je veux partir... Je veux partir loin... — Comment t'en aller?... Partir où?... En Chine... Loin? Où ça?... — Je ne sais pas...

Toujours les voyages qui tournent en rond, toujours l'espoir piétiné de l'évasion impossible. Dans le cauchemar célinien le réveil c'est la mort.

A reprendre comme cela à des années de distance ces livres que Céline nous a obligés à jeter au rebut (le voilà le vrai « Nathanaël, jette mon livre! »), on découvre toutes sortes de vérités qui nous avaient échappé, toutes sortes de richesses que la pauvreté ambiante nous oblige à monter en épingle. Oui, mais, son style, cette langue de pensionnaire d'asile, ces éructations de vocables et ces borborygmes de syntaxe? Eh bien! parlons-en précisément de sa langue! Elle est la plus belle, la plus dense, la plus charnue, la plus vigoureuse, la plus vivante et la plus imagée, la plus émouvante qui soit. Un verbe neuf, familier et savant à la fois, plein de tours rares, d'audaces, de raccourcis, d'ellipses inouïes. Un langage émotionnel, viscéral qui ne va pas comme l'autre « de l'âme à l'âme » mais du corps au corps, et qui est lui-même un constant corps à corps avec l'éloquence, cette fausse ivresse, et toutes les productions désincarnées du cerveau, cette machine à broyer des mots. Il a élevé le langage parlé à la dignité du langage littéraire, pourvu d'un blason la langue dont nous nous servons quand nous échappons à la littérature qui jette sur nos idées, nos émotions, nos désirs, la livrée uniforme du « bien dire ». Langage près du cri, de l'exclamation, de la plainte, qui a seulement besoin d'être vrai pour convaincre. Auprès des autres livres, ceux de Céline paraissent écrits dans un dialecte dont il est l'inventeur et qui a précisément secoué toute la bourre des mots pour n'en garder que le grain, issu des sources de la vie. Jugeant les ouvrages de ses « confrères », Céline écrit :

> Je les trouve en projets, pas écrits, mort-nés, ni faits ni à faire, la vie qui manque... C'est pas grand-chose... ou bien alors ils ont vécu tout à la phrase, tout hideux noirs, tout lourds à l'encre, morts phrasibules, morts rhétoreux. Ah! que c'est triste!

Ce que Joyce a fait pour la langue anglaise et qui demeure une prodigieuse expérience de laboratoire, ce que les surréalistes ont tenté de faire pour la française, Céline l'a réussi en se jouant et sur une vaste échelle.

> Le Jazz a renversé la valse, l'Impressionnisme a tué le « faux-jour », vous écrirez « télégraphique » ou vous écrirez plus du tout!

Versons un pleur sur notre belle phrase du XVIIe, cadencée, nombreuse et lovée dans ses formes pleines, issue des sermons de Bossuet et étayée par tous les échafaudages des grammairiens. Céline la dégonfle, la désarticule, la désagrège, la réduit à ses éléments et la reconstruit sur son propre rythme. Quand les mots lui manquent, il les forge avec une science et une intuition sûres. Son voyage au bout du langage l'a mené sur les terres d'un nouveau langage.

N'en serait-il pas de même pour son voyage au bout de la nuit, au bout du monde, au bout de l'homme? On n'ose répondre avec certitude. Mais quoi qu'il en ait, sa quête ne débouche pas sur le néant. Nous sommes sensibles au premier temps de son travail qui consiste à débarrasser le monde de ses apparences, à décaper l'homme de toutes ses vanités accumulées et religieusement transmises, à le laisser nu, animal transi, dans le grand vent de la haine et des méchancetés lancinantes. Hercule, aussi, a exécuté ce travail qui, hors de la mythologie, n'est qu'un travail d'égoutier, de minable râleur, de provocateur, et déchaîne la colère de toutes les satisfactions dérangées. Mais que Ferdinand bute sur un enfant, Molly, un animal gentil, et le voilà tout remué, tout prêt à chanter la romance, à laisser filer sa « petite musique », à se laisser pousser des ailes d'archange. S'il n'était si méchant, comme il serait bon, et si le monde n'était un enfer quel paradis! Le temps seul a manqué à Céline pour pousser son « voyage » jusqu'au bout de ces tautologies.

Roger Nimier

[*Il est très naturel de ne pas aimer Céline*]

Il est très naturel de ne pas aimer Céline. On peut le trouver un peu précieux ou bien trop oratoire. Mais il est également permis de l'aimer. De toute façon, il est très mal connu. On l'accuse injustement d'avoir écrit et inventé des gros mots pour le plaisir, quand il lançait seulement des invectives, au sens grec : exhortations au combat contre les puissances néfastes de la vie.

Bien avant les traductions de Kafka en France, Céline a décrit un homme traqué par les deux méchants qui s'ap-

Roger Nimier, « Le maréchal des logis Céline », *in Carrefour* [Paris], 6 août 1952.

pellent l'État, la police ou, plus simplement, la malice universelle. Il ne pense pas du tout que l'homme soit bon et que la littérature le déprave. Il ne songe pas à l'avenir comme au paradis, car il sait bien que le paradis est derrière nous, au temps des Gaulois, par exemple. En somme, il est de la famille de certains orateurs sacrés, des prophètes, des poètes épiques. Il utilise une période oratoire rompue, une meute d'exclamations, qui ne se trompent pas de gibier.

Le gibier, dans *Casse-pipe,* est un engagé volontaire au 17ᵉ régiment de cavalerie lourde. Il arrive dans la nuit et tombe sur une patrouille affolée, parce qu'elle a perdu le mot de passe. Ce sont les vrais drames de l'armée. On n'oubliera pas ce peloton qui court dans l'ombre et se cache pour finir dans une écurie, qui est évidemment celle d'Augias. Les Grecs, toujours les Grecs !

Le langage saccadé d'un sous-officier furieux qui joue sa comédie de la fureur tout à son aise, Céline le reproduit merveilleusement. Jamais il n'a été plus loin dans l'art des jurons, jamais il n'a eu plus de bonheur dans l'excès, car l'excès, en matière de cavalerie et de jurons, c'est la bonne moyenne.

Ces invocations ne gênent pas du tout la poésie. La caserne du 17ᵉ cuirassiers est une création poétique : elle n'est pas décrite, elle apparaît. Il faut y croire et elle se dégage lentement de la nuit ; elle se révèle à travers la conversation des hommes, humanité pâteuse aux noms bretons, aux grosses moustaches et aux sabres interminables.

Au milieu de ce vacarme, notre engagé volontaire garde la bonne volonté qui était celle de Bardamu au temps de ses premiers voyages. Et c'est ici que la comparaison avec le dernier livre de Céline, *Féerie pour une autre fois,* devient nécessaire, parce que ce livre va nous montrer le même personnage, dans des circonstances beaucoup plus affreuses.

Au temps où il faisait la guerre de 1914, au temps du *Voyage au bout de la nuit* et de *Casse-pipe,* Céline se voyait sous les traits de l'homme quelconque, persécuté par les lois et les méchants comme le sont tous les hommes ordinaires. Son ahurissement n'était rien d'autre que la réaction banale de défense d'un anonyme qui se veut le plus vague et le plus fade possible, le moins voyant. Il cache son visage devant la colère des autres.

Avec *Féerie pour une autre fois,* c'est tout le contraire. Il nous décrit d'abord la haine qui l'entourait, dans son quartier, à la veille de la libération. Ensuite, il est au Danemark, dans une prison, malade, menacé d'extradition. Cette fois-ci, c'est l'univers entier qui lui en veut personnellement. On l'accuse de tous les crimes de la collaboration. Il se sent le bouc émissaire d'un grand nombre de gens, mais le bouc n'est pas un animal commode. Alors, il regimbe. Ce n'est plus le moment de s'humilier, comme s'humiliait Bardamu. Les circonstances y suffisent bien. Il faut se magnifier, d'abord pour supporter une existence presque intolérable : ensuite, pour se venger et rétablir l'équilibre.

Les autres ont enfermé Céline? Ils ont détruit ses manuscrits, on lui a retiré sa médaille militaire? Eh bien! il déborde d'une colère qui l'exalte et qui les noiera tous dans son flot. Ceux auxquels il en veut ne sont évidemment pas les victimes des Allemands, mais tous ceux qui se sont faits justiciers, par besoin de voir couler le sang ou pour assurer le repos de leur conscience. L'espèce n'est pas rare. Il faut avouer qu'on a vu très peu de martyrs parmi les épurateurs.

La référence au *Casse-pipe* est indispensable pour une autre raison. Un des grands motifs d'indignation de Céline, le principal peut-être, il le tire de la guerre de 1914, où il fut grièvement blessé. Or, il lui paraît évident qu'aujourd'hui ce genre de blessures est compté pour rien du tout. Ce n'est plus le sang versé sur un champ de bataille qui fait la valeur des hommes, mais les postillons déversés derrière un micro.

Dans une prison, la monotonie est invincible. Cette monotonie pèse souvent sur le livre. La féerie n'est pas certaine à chaque page. Quand elle éclate, elle est très vive, qu'elle soit macabre ou terrible. Je pense au sculpteur désigné sous le nom de Jules, cul-de-jatte, un peu ivrogne, très Montmartrois, qui nous est décrit à travers ses colères et ses vices. Il est l'antagoniste moral d'un personnage qui apparaît tout au début et qui appartient, lui, à une espèce rechignée, haineuse, médiocre et sournoise. C'est le fils d'une amie et Céline, à qui il rend visite, le soupçonne de vouloir le tuer, mais sans trop d'espoir : il est tout seul et il est évident qu'il aura peur. Jules, au contraire, n'a peur de rien. Il a « l'esprit du mal ».

Entre ces morceaux de bravoure, ces invectives contre Nartre, Lauriac, Martin Ciboire (c'est de Claudel qu'il s'agit) nous revenons à un prisonnier qui souffre de la pellagre, perd la vue, se sent abandonné et maudit, à la puissance universelle et se désespère surtout de ne pas entendre un mot de français.

L'enthousiasme des siècles, c'est tel! Bûchers, massacres, poubelles! Encore plus que le vol, l'Islam, Port-Royal, la Concorde, Gengis, l'atome, le phosphore, c'est quelqu'un! Pour carboniser les missels, l'Iliade aux cochons, brouter la Vierge, culer Pétrarque, jamais ça glisse! Sitôt dit fait! Croisade! croisons! Pendards! pendons! mauviette qui flube! Tenez, moi, là, en mon trou, le fisc me relance encore d'impôts! le 22ᵉ arrondissement! la dîme, les Domaines! des millions! sur toutes mes œuvres si disparues! « Qu'ils vont me condamner à trois vies si je ne reviens pas m'exécuter » et qu'après ils me couperont la tête! Voilà les natures!

Cette citation montre que Céline n'a pas changé. Les malheurs ne l'ont pas adouci : il n'a mijoté aucune conversion; il ne se soumet pas. Au contraire, il revendique et, crime beaucoup plus grave aux yeux de certains, il continue à couper ses phrases de points d'exclamation ou de points de suspension.

C'est ici que se pose le problème de son influence. Cet auteur mal considéré, exclu, il n'empêche qu'une grande partie de la jeunesse moderne y trouve sa nourriture ou, à défaut, un ton qui lui convient, une grossièreté qu'elle emploie avec moins de lyrisme, mais avec autant de satisfaction. A cela on répondra que la jeunesse est mal élevée, que c'est grand dommage et que les choses s'arrangeront peut-être avec le temps, du côté de la syntaxe et des sentiments. C'est un débat qui n'aurait pas de fin.

En tout cas, ce n'est pas uniquement pour des mots que l'auteur de *Mort à crédit* produit cette attirance. Son pessimisme chargé de vitalité, son cynisme appuyé (mais les événements appuient plus fort encore), ses grandes gueulantes, ses bonnes ou ses mauvaises raisons, son double aspect de petit bourgeois râleur et d'aventurier correspondent à quelque chose d'évident, dans le monde actuel. Son génie littéraire en aurait fait uniquement un poète, dans une autre époque. Il se serait abandonné à la préciosité plus souvent et à son besoin de faire danser les mots, sans souci des conséquences. Mais le siècle est méchant. Il faut être bagarreur pour le comprendre. L'écrivain s'attache à une réalité qui lui colle aux doigts.

Il se trouve que cette réalité est en colère. Elle a donc ses cris et son éclat, sans qu'il soit besoin de lui ajouter des ornements. Céline attaque la poésie et l'idéal, en poète et en idéaliste. Il se déchaîne contre la guerre en ancien combattant. Il était antisémite et c'est un médecin juif qui est venu à son aide, au Danemark.

Mais, encore une fois, il est très naturel de ne pas aimer Céline. Lui non plus n'aime pas tout le monde.

Robert Poulet [1]

[*Les décombres d'un monument*]

Personne, non pas même Proust, n'a exercé sur la littérature de ce siècle une plus grande influence que Louis-

ROBERT POULET, « L.-F. Céline. *Normance* », *in Rivarol* [Paris], 22 juillet 1954.

1. Dans la presse belge, puis française, et sous les pseudonymes les plus divers, M. R. Poulet a consacré une cinquantaine d'articles et de

Ferdinand Céline. Cela se reconnaît à ceci que — quelques rares exceptions, de la lignée analytique et traditionnelle, mises à part — on peut toujours dire d'un roman contemporain s'il a été écrit avant ou après le *Voyage au bout de la nuit.* Il suffit d'une page pour en juger. Cela signifie que l'auteur de ce chef-d'œuvre en désordre a provoqué dans l'imagination française une révolution.

En quoi consiste-t-elle? Le turbulent écrivain estime que, le premier, il a « mis de l'émotion » dans l'écriture. Il y a de ça. Quand Alphonse Daudet narre les malheurs de Daniel Eysette, ou quand André Gide décrit le renoncement d'Allissa, le lecteur s'émeut; mais, grammaticalement, la phrase qui lui communique cette émotion n'en porte pas trace; elle est construite de même que n'importe quelle autre phrase exprimant n'importe quoi d'autre. Par contre, les phrases qui expriment et qui communiquent la colère de Bardamu sont réellement des phrases irritées; au besoin, elles cessent même d'être des phrases, elles éclatent en morceaux, dont chacun se tord comme un tronçon de ver. Nous nous trouvons devant une forme nouvelle, qui épouse exactement les lignes du sentiment et qui s'agite comme lui. Mais les Goncourt, mais Paul Adam, mais Léon Cladel, mais les surréalistes qui écrivaient *Le Voyage d'Anicet* ou *Le Paysan de Paris,* se lancèrent aussi dans des tentatives du même genre, lesquelles, seulement, n'ont pas réussi; du moins pas réussi à créer un mode de discours, à imposer un style romanesque.

Je crois que le vrai mérite de Céline, son éclair de génie, fut de choisir, entre toutes les innovations possibles dans ce domaine, la plus franche et la plus naturelle. Tout simplement, il a fait parler au roman le *langage du temps.*
[...]

Au début, le succès de ce bouquin époustouflant [1] fut

papiers à Céline. Leur caractère presque uniformément dithyrambique fait tout l'intérêt de celui-ci.

Que ce soit l'occasion de rappeler que le choix de ce « dossier de presse » ne répond à aucun souci de palmarès. *(N.d.E.)*

1. *Voyage au bout de la nuit. (N.d.E.)*

du type populaire. On prenait Louis-Ferdinand pour une sorte de Bruand ou de Montéhus supérieur, qui en dit de bien fortes et de bien bonnes, avec les mots de tout le monde. On s'aperçut bientôt que c'était une double erreur. Il ne s'agissait pas d'un moraliste, mais d'un prophète ; et le jargon qu'il employait n'avait rien de débraillé, en dépit des apparences : il était dosé à une virgule près. Les spécialistes se penchèrent avec perplexité sur cette élocution entrecoupée et spasmodique, où la pensée jaillissait avec des borborygmes, comme l'eau bouillante d'un geyser ; et force fut de reconnaître que cet art se rattachait beaucoup moins au type Émile Zola qu'au type Jean de Tinan. Comme presque toutes les grandes œuvres de ce temps, *Mort à crédit* (encore supérieur au *Voyage*) ressortit à l'esprit précieux, au style baroque. Mais d'une manière tout à fait particulière, dont la vertu provient de ce fait que les minutieux agencements techniques dont le livre est composé sont soutenus, alimentés, poussés en avant, par la puissance du tempérament.

L'extrême originalité du ton célinien n'aurait servi à rien, qu'à produire des effets curieux, juteux, savoureux, si la sensibilité dont il est l'émanation directe et fidèle ne s'était tout de suite présentée comme une interprétation lyrique du monde moderne. On aurait pu s'y attendre. Chaque fois que le malheur public est trop grand, chacun espère inconsciemment un cri — et parfois l'espère en vain — le cri de *La Divine Comédie,* le cri de *La Satire Ménippée,* le cri du *Génie du Christianisme,* le cri des *Fleurs du mal.* Celui qui retentit au bout de la nuit, sur un horizon que l'aube des hécatombes, des mensonges, des sottises, ensanglante hideusement, n'a pas été compris de ceux qui en eurent le tympan perforé. Le spectacle qui faisait délirer Ferdinand Bardamu, nous ne l'avons découvert qu'après : il justifiait surabondamment tous les dégoûts et tous les sarcasmes du nouveau Jérémie. Je ne crois pas qu'il y ait dans la littérature universelle beaucoup d'exemples d'un tel avertissement solennel, et si mal écouté.

[...]

Dans un article de *La Nouvelle Revue française* [1], l'auteur expose ses théories esthétiques et explique sa plus récente évolution. Tout vient, paraît-il, du cinéma. Le romancier ne peut plus se borner à narrer, parce que les faiseurs de films ont habitué le public à une narration expressive et rapide, avec les attraits de laquelle même la vivacité elliptique de Stendhal ne peut plus lutter. A ce jeu, le « roman-roman » est battu d'avance. Eh bien, c'est tout à fait discutable.

Surtout depuis que les prestiges cinématiques ont cessé de croître démesurément, et de prévaloir universellement. Qui ne voit qu'ils commencent, au contraire, à user les parties de l'esprit auxquelles, avec une obstination enfantine, ils s'adressent. Les images de l'écran ont perdu leur éclat irrésistible depuis qu'il s'est mis imprudemment à parler; et trois ou quatre ans plus tard le sens nouveau qui s'était éveillé dans le cerveau des spectateurs avait disparu pour toujours; leur déception et leur désaffection ont suivi à quelque distance. En tout cas il n'y a pas un seul metteur en scène dont le langage puisse être comparé, pour l'efficacité, pour la vigueur du trait, à *La Chartreuse de Parme* ou au *Hussard sur le toit.* Gageons que, pendant des siècles — à supposer que la littérature tout entière, que les arts tout entiers et que la notion même d'art ne soient pas près de leur terme — on continuera à raconter des histoires, qui auront un commencement, un milieu et une fin, on continuera à s'en enchanter et à y croire.

Si c'était pour cette raison que Louis-Ferdinand Céline, dans ses derniers ouvrages, fait complètement abstraction de la trame narrative et remplace le déroulement de l'intrigue par un enchaînement lyrique, il faudrait donc lui donner tort, ne fût-ce qu'au vu de ses premiers ouvrages, au prix desquels les films les plus habiles et les plus vifs ne sont que des jeux d'enfants. Mais sans doute la construction invertébrée de *Normance* a-t-elle une autre cause.

Disons-le comme nous le pensons. Dans l'imagination

---

1. *Entretiens avec le Professeur Y. (N.d.E.)*

de l'auteur, il y a quelque chose de rompu. Le don qu'il avait de susciter des êtres vivants et de les maintenir en vie dans la terrible tempête verbale qui se déchaînait à la même minute, s'est comme découragé, comme fatigué. Ou bien il a voulu remplacer une force qui s'épuisait en lui par une autre, passer du roman distendu, échauffé, explosif, au poème en prose. Chose bizarre, le naturalisme libéré et forcené de Céline donne des fruits tardifs qui ne diffèrent guère de ceux du surréalisme, de l'existentialisme, de l'expressionnisme, aspects divers du conformisme éternel. Il existe dans la littérature un marécage central, auquel aboutissent toutes les outrances mal dirigées. Encore un peu plus outré, et ce qu'il y a de plus original dans les lettres françaises du XXᵉ siècle s'achèverait dans ce qu'il y a de plus banal.

Pourtant, du premier au second tome de cette *Féerie* sans fin ni objet, on sent un effort de reviviscence. Dans *Normance,* au moins, on découvre un thème, un cadre. Ferdinand tombe dans une cage d'ascenseur ; le choc détermine en lui des hallucinations qui, jointes au souvenir des bombardements aériens et aux sentiments qu'ils suscitent, finissent par évoquer dans l'esprit de l'accidenté l'image d'un univers où tout n'est que mort et massacre, essentiellement et indéfiniment. Par malheur, ce schéma n'est pas traité comme un mouvement qui se déroule, mais comme un effet qui se répète. A chaque page, les extraordinaires qualités de l'auteur, son pouvoir d'excitation et d'illumination, sa prodigieuse et bouleversante faconde, sa façon de sangloter ses mots, de les saigner, de les vomir comme des viscères ou des entrailles, se manifestent encore, si robustement qu'un tel ouvrage, qui trahit un déclin évident, une incontestable abdication du sens créateur, se place encore à mille piques au-dessus de tout ce que produisent les romanciers de vingt à cinquante ans. Mais le phénomène Céline n'y est plus qu'à l'état de réfraction immobile et lointaine. C'est un mirage dans le désert.

En outre, il ne s'impose plus, il ne s'accroche plus à la chair et à l'esprit du lecteur. Le monstre a perdu son agilité incroyable; il ne peut plus que mordre sans cesse à la même place, avec le mâchonnement formidable et désabusé du lion malade. Pour tout avouer, il lasse, il ennuie.

Cet art délabré se reconstituera-t-il? Un troisième tome de la même féerie nous montrera-t-il « ressuscité au comptant » le « mort à crédit » qui fut l'une des victimes les plus atteintes, littérairement parlant, de la dernière guerre? Ou bien ces décombres intellectuels et artistiques, s'ouvriront-ils comme un décor de théâtre, dévoilant un second avatar de l'écrivain, livrant passage à son nouvel essor? Le fauve à l'échine brisée guérira-t-il? Personne ne le souhaite plus que nous.

René Chabbert
[*Céline a perdu sa clef*]

Situation désagréable que d'avoir peu de bien à dire d'un livre, quand on a pour l'auteur la plus franche admiration. *Normance,* le dernier ouvrage de Louis-Ferdinand Céline, me met dans ce mauvais cas, et tous ses lecteurs avec moi. La chance qu'ont ces derniers, c'est de ne pas avoir à s'en expliquer à haute voix.

Céline est un de ces auteurs qu'aux yeux de certains il est absolument sacrilège de critiquer si peu que ce soit. Son nom seul est tabou et totem. Si vous n'admirez pas tout, c'est que vous n'avez rien compris. Volontiers ses fanatiques vous jetteraient dans un grand feu alimenté par tout ce qui s'est imprimé avant le *Voyage au bout de la nuit.*

Céline, naturellement, n'y est pour rien. Quoi de plus antipathique à son génie naturel que l'intransigeance enfantine, les tapements du pied rageurs, les excommunications comiques fulminées par quelques-uns de ses fidèles maladroits.

RENÉ CHABBERT, « *Normance* par L.-F. Céline », *in Dimanche matin* [Paris], 29 août 1954.

Je suis qu'un petit inventeur, Monsieur !... et que d'un petit truc !... juste d'un petit truc !... j'envoie pas de messages au monde !... moi ! non, Monsieur ! j'encombre pas l'éther de mes pensées !... je cogite pas pour la planète !... je suis qu'un petit inventeur, et que d'un tout petit truc... pratique !... comme le bouton de col à bascule... comme le pignon double pour vélo... l'émotion dans le langage écrit !...

Voilà comment Céline parle de lui-même. Si l'on pouvait discuter avec ses gardes du corps sur le même ton, en se moquant de soi comme des autres, il serait plus facile de s'entendre sur Céline. Mais non ! Comme tous les dictateurs, il est victime de l'« entourage ». Il a fait une œuvre immense, il a proprement liquidé le pays légal au profit du pays réel, il a donné à l'anarchie l'expérience du pouvoir, tout cela mérite qu'on l'admire, qu'on l'aime, qu'on le défende.

Seulement, quand la propagande s'en mêle, quand une légende d'infaillibilité se bâtit, et que, sous peine de déportation mentale, vous devez manifester à chaque œuvre du maître un délire imperturbablement enthousiaste, j'aime encore mieux passer à la résistance.

Normance, donc, n'est pas un bon livre et tous les regrets que j'en ai ne peuvent m'empêcher de l'écrire. J'en suis bien fâché, non pas pour Céline, qui sait ce qu'il fait, mais pour la coterie des porteurs d'encens, qui, eux, ne le savent pas et auxquels, dès lors, on doit pardonner.

Minus habens, fossile tainen, pion à manches de lustrine ? Soit ! Tant que vous voudrez ! Je maintiens que le second tome de cette *Féerie pour une autre fois* — comme le premier hélas ! — est sombrement ennuyeux et rebutant.

Mais ce magma sans nom réserve à ceux qui auront le courage d'y pénétrer, et d'y rester, une merveilleuse somme d'éblouissements, de vertiges, d'emballements, de grands et petits frissons. Ce n'est pas, on le pense bien, pour le plaisir de la symétrie que je le dis ; ni pour gagner des indulgences. C'est ainsi, simplement ; et parce qu'il est assez clair qu'un livre de Céline, serait-il le pire, se situe encore à cent coudées au-delà du niveau moyen.

Qu'est-ce que *Normance?* Une chute de six mètres à la première page et, pendant trois cent soixante-quinze, en chute libre, la plongée dans une mémoire folle et une imagination hallucinée. Ferdinand est tombé dans la cage de l'ascenseur, on l'en tire assez mal en point, et depuis, à n'en plus finir, il délire, il cauchemarde, il cherche à se souvenir, il se souvient, oublie, invente, recommence.

Toutes les distinctions craquent. Plus de réel! Plus d'imaginaire! Plus d'avant ni d'après! Il ne reste qu'un immense monologue, hagard, furieux, volcanique (*Normance,* en même temps qu'à Gaston Gallimard, est dédié à Pline l'Ancien) et épuisé.

Au bout, sous l'effet du choc, au souvenir des bombardements aériens, à la vue des immeubles qui s'effondrent, surgit la vision d'un monde monstrueux, hanté par l'épouvante de la mort, un chaos traversé de cris et qui tournoie sans fin, dérisoirement. *Normance,* c'est une tempête sous un crâne endolori pour commencer et, pour finir, c'est l'Apocalypse de la bignole.

A l'aide de ce qu'on sait déjà de Céline, à l'aide aussi de ces savoureux *Entretiens avec le professeur Y* qu'il a publiés tout récemment dans *la N.N.R.F.,* on voit bien où il a voulu en venir en écrivant *Normance.* On ne voit pas, malheureusement, qu'il y soit arrivé.

L'émotion du langage parlé à travers l'écrit... La formule est sans équivoque. Que Céline en revendique la paternité, rien de plus juste. Mais prétendre y réduire toute son originalité et tout son apport, c'est de sa part se méconnaître et cruellement mésestimer des œuvres comme le *Voyage* ou comme *Mort à crédit,* d'une substance autrement riche. Ce qu'il avait à dire comptait pour le moins autant (dans la mesure où l'on pouvait distinguer) que le mode sur lequel il le disait.

Il n'est pas étonnant que, sur le moment, éblouis, emportés, étourdis par la révolution de l'écriture, nous n'ayons pas toujours vu que, derrière elle, et bien plus profonde, c'est presque une *Weltanschauung* nouvelle, une manière neuve de concevoir le monde qui se cachait. Aujourd'hui la révolution est devenue l'ordre, et nul, ou presque, n'écrit plus comme avant. La place de Céline n'en a pas été diminuée, au contraire. Sous l'originalité superbe du ton, on a compris enfin son prophétisme noir, sa nostalgie du bonheur, son ardeur à vivre et le goût cendreux qu'il découvre à toute vie.

Que reste-t-il de l'émotion du langage parlé? Un procédé. Comme un autre. Plus neuf, sans doute, et plus fort, peut-être, que les autres. Mais finalement aussi provisoire qu'eux. Sinon plus, car il n'est rien qui se démode plus vite que le langage parlé, le fameux langage de tous les jours, avec sa richesse argotique et sa syntaxe en coups de gueule, le langage de tous les jours qu'au bout de vingt ans à peine on ne déchiffre qu'avec lexiques et glossaires.

Si encore c'était une émotion pure et violente, un de ces bouleversements de tout l'être, comme naguère... *Normance* aurait alors le mouvement irrésistible du *Voyage,* l'emportement haletant de *Guignol's band.* Ce n'est pas le cas. *Normance* est un livre stagnant. Plus de ces grandes enjambées joyeuses et bien rythmées, un enlisement morose, un pateaugeage irrémédiable, dans d'énormes marais, sous un ciel bas, trop rarement illuminé de magnifiques éclairs.

C'est que l'émotion — on ne met pas longtemps à s'en apercevoir — n'a rien, cette fois, de sincère. On la déclenche sur commande, on la couvre artificiellement, au besoin on la simule. Ce n'en sont plus que les signes très extérieurs que traduit le langage écrit. Et rien de plus, on le sait assez, que la corruption du meilleur. Il faut parfois se tenir à deux mains, se rappeler que c'est Céline qui écrit, pour ne pas se méprendre : c'est de l'acharnement, non pas du ressassage; c'est une répétition volontaire, pleine de force; non pas une redite interminable; c'est un visage, non une grimace. On s'y tromperait presque...

La vérité, celle du moins qui m'apparaît et qu'il m'en coûte de reconnaître, c'est qu'à mesure que le fond s'appauvrit, le ton, loin de s'affaiblir, s'enfle, s'accentue, tourne au pur procédé. Longtemps une prodigieuse force créatrice expliquait, en le nécessitant impérieusement, le formidable déluge verbal. Si la force baisse, il ne reste plus bientôt qu'un verbalisme incontinent.

Normance, somme toute, laisse l'impression que Céline s'imite lui-même. Le malheur, c'est que Céline est inimitable, il a initié à un art nouveau, il a renouvelé le roman, tout le monde — lecteurs aussi bien qu'auteurs — lui doit quelque chose? Oui il a fait tout cela, mais en s'en moquant bien, en solitaire. Céline est un fleuve sans affluents, un monolithe.

Qu'on essaie d'en capter le cours ou d'en débiter les pierres, c'est normal. Mais n'y réussit pas qui veut. Céline lui-même y échoue plus qu'à moitié. « J'ai seul la clef de cette parade sauvage », disait Rimbaud. Céline a perdu sa clef.

1957. L'exclusive prononcée contre l'œuvre des années 1937-1955 se trouve confirmée lorsque la critique voit en *D'un château l'autre* le début d'une nouvelle carrière. Bénéficiant d'un support publicitaire important, l'ouvrage est accompagné de bonnes feuilles et d'interviews qui lui assurent une large audience. Ce succès commercial se double d'une polémique politique dans les journaux de droite, relayée en juillet par le « scandale » d'une interview télévisée. Tout en regagnant un public, Céline est de nouveau placé hors des perspectives littéraires les plus élémentaires. Quelques textes adressés aux journaux ne dissiperont pas le malentendu. Mais l'assiette, la crédibilité de l'écrivain en seront suffisamment confortés pour que Céline y puise une nouvelle assurance.

Pascal Pia

Une certaine petite musique

D'un château l'autre, tel est le titre du nouveau livre de M. Louis-Ferdinand Céline : un titre que les typos alourdiront souvent de la préposition dont l'auteur l'a privé. Dans *Carrefour* même, la semaine dernière, n'a-t-on pas imprimé « D'un château à l'autre », sans prendre garde

PASCAL PIA, « Une certaine petite musique », *in Carrefour* [Paris], 26 juin 1957.

à la violence que Céline, fidèle à ses habitudes, entendait faire ici au langage? *D'un château l'autre,* bien sûr, cela peut se traduire par « d'un château à l'autre », mais rhabiller ainsi Céline, recoudre ainsi ses boutons et rapiécer ses fonds de culotte, c'est en quelque sorte le trahir. C'est ôter à ce qu'il dit le ton qu'il y a mis, en dénaturer la gouaille, et même en fausser l'esprit. Je lisais récemment, dans le plus mondain des hebdomadaires de gauche, que Céline serait à ranger parmi les ennemis du genre humain, qu'il serait de ceux qui ont choisi de « mépriser l'homme ». Rien ne paraît plus éloigné de la vérité. J'imagine que si Céline professait à l'égard de ses semblables le mépris qu'on lui impute à crime, d'abord il eût choisi, pour gagner sa vie, un autre métier que celui de médecin. Ensuite, il est probable qu'il se serait au moins détourné de la médecine générale pour se cantonner dans une spécialité moins absorbante. Enfin, et je dirais presque : surtout, il aurait certainement choisi de s'exprimer comme ses censeurs : du haut d'un faux col et sans bousculer la syntaxe.

Il n'est pas contestable que Céline a créé son style, dont d'autres se sont plus ou moins inspirés, mais où il reste inimitable. Quand M. Raymond Queneau, par exemple, écrit au début d'un de ses romans : « Il ne se doutait pas que chaque fois qu'il passait devant sa boutique, elle le regardait, la commerçante, le soldat Bru », il se souvient à coup sûr de Céline, mais il n'en attrape pas l'accent. Où la verve de Céline eût semblé couler de source, M. Queneau montre un humour que j'apprécie, mais qui, visiblement, lui a demandé quelque application. Dans une interview sténographiée ou enregistrée de façon mécanique, Céline disait ces jours-ci :

Je suis un styliste, un maniaque du style, c'est-à-dire que je m'amuse à faire des petites choses [... J'ai inventé] une certaine musique, une certaine petite musique introduite dans le style, et puis c'est tout. C'est tout. L'histoire, mon Dieu, elle est très accessoire. C'est le style qui est intéressant. Les peintres se sont débarrassés du sujet, une cruche, ou un pot, ou une pomme, ou n'importe quoi, c'est la façon de le rendre qui compte.

On ne se voit pas toujours très bien soi-même, mais, en l'occurrence, Céline me semble s'être assez exactement regardé. Je ne dirai pas que le sujet de ses livres soit négligeable, quoiqu'il ne varie jamais — ils ne traitent tous au fond, que de lui — mais c'est un sujet qu'il n'a pas eu à inventer. Son originalité, sa marque, ce qui commande de le compter au nombre des créateurs, c'est le style de Bardamu qui, du *Voyage* à *D'un château l'autre,* est allé sans cesse se tronçonnant, se mutilant, se hachant, passant de la phrase au bout de phrase, au cri, à l'onomatopée insécable. D'où la « certaine petite musique », que l'écrivain se flatte à bon droit d'avoir fait entendre et qui le distinguerait de n'importe quel autre auteur, même si, d'aventure, il s'en rencontrait un qui eût à raconter comme lui un interminable voyage au bout de la nuit.

Comment croire, après cela, au mépris qu'aurait d'avance voué à son prochain l'un des rares prosateurs — le seul peut-être avec Joyce — qui depuis trente ans se soient ingéniés à enrichir la littérature d'un nouveau mode d'expression? Vive le mépris, si le mépris a pour effet de nous procurer ce que la sollicitude ou la considération distinguée ne nous offrent point. Vive le mépris, s'il peut, comme chez Céline, tirer le roman du marasme, sans recourir, pour obtenir ce résultat, aux fastidieux travaux de métré et de dessin industriel où des romanciers de laboratoire pensent découvrir le fin du fin de la création littéraire.

D'un château l'autre, c'est encore une étape du fameux *Voyage,* l'étape Sigmaringen-Meudon, du château des Hohenzollern à cette maison de Bellevue, que Céline dit « horrible » et dont son dénuement l'oblige à se contenter. Je ne reviendrai pas ici sur l'histoire tragi-comique de Céline fuyant la France en 1944, de peur d'avoir à payer de sa vie ce qu'il avait écrit dans *Bagatelles pour un massacre* ou dans *Les Beaux Draps.* Son procès a été suffisamment instruit et plaidé, et au surplus il n'est pas du ressort de la critique littéraire. Pour ma part, je ne crois d'ailleurs pas que Céline ait commis de plus grosses fautes que les deux bêtises qu'il fit à quelques mois d'intervalle, la première en rejoignant Pétain dans l'enclave « française » de Sigmaringen, la seconde en allant chercher refuge au Danemark. Mais laissons cela aux redresseurs de torts : on peut être un grand écrivain, un poète que le siècle suivant n'oubliera pas, et se gouverner avec la pire maladresse. Ce sont les œuvres qui comptent, non les extraits du casier judiciaire, ni les rapports de la concierge.

Dans *Les Livres de ma vie*, c'est sur les livres de Céline que Henry Miller se fonde pour qualifier leur auteur de « géant parmi nos contemporains ». On peut estimer que l'épithète ne convient pas (il n'est pas certain que Céline fasse figure de géant, je le verrais plutôt en écorché), mais il faut louer Miller de la liberté d'esprit dont il fait preuve et qu'il nous recommande lorsqu'il dit : « On accepte sans réserve le caractère unique d'un camarade artiste, en comprenant que c'est par là même que s'affirme son universalité. » Procéder autrement, n'est-ce pas se condamner à méconnaître le génie échu à des hommes d'humeur ou se donner le ridicule de faire le pion avec Vigny, avec Baudelaire, avec Verlaine, avec Bloy ou avec Bernanos? Ajoutons : ou avec Céline, qui a soixante-trois ans maintenant. L'abreuver de conseils, lui prescrire des régimes? on perdrait son temps. Mieux vaut l'accepter tel qu'il est, grinçant et grimaçant comme un masque de James Ensor.

Ce n'est pas par hasard que je viens d'écrire le nom d'Ensor. Ai-je jamais lu un livre de Céline sans me rappeler les images fantastiques que le peintre ostendais gravait vers 1890, ses scènes de tribunaux sinistres ou ses soudards Kès et Pruta « entrant dans la ville de Bise ». Pour illustrer Céline, aucun artiste n'eût mieux fait l'affaire que James Ensor, dont les écrits (car il a écrit quelquefois) ont d'ailleurs un air célinien. « Depuis trois ans les contorsions épileptiques de M. D. s'exaspèrent : culbutes tribouli-nesques sans nom, prurit de turlupin exaspéré, agonie bavocheuse et rancunière, bagarres fielleuses, foudres de zinc, épistoles de mauvais aloi, etc. » Est-ce du Céline d'avant *Mort à crédit?* Non, c'est de l'Ensor d'il y a soixante-cinq ans.

Le Céline de 1957 n'est pas aussi fleuri, mais il n'est pas moins hallucinant. Écoutez-le raconter l'histoire de M. Alphonse de Châteaubriant, ancien prix Goncourt et directeur de *La Gerbe,* reçu à Sigmaringen par Abetz, à l'heure où celui-ci était à table. Abetz et M. de Châteaubriant rêvaient aux grandes fêtes publiques que l'on donnerait bientôt en l'honneur de l'Europe nouvelle. M. de Châteaubriant sifflait ou fredonnait des airs de *La Walkyrie.* Abetz crut pouvoir lui signaler doucement une fausse note :

Là je vois un homme qui se déconcerte!... d'un seul coup! le piolet lui tombe des mains... une seconde, sa figure change tout pour tout... cette remarque!... il est comme hagard!... c'est de trop!... il était en plein enthousiasme... il regarde Abetz... il regarde la table... attrape une soucoupe... et *vlang!* y envoie et encore une autre!... et une assiette!... et un plat!... c'est la fête foraine! plein la tête! il est remonté! tout ça va éclater en face contre les étagères de vaisselles! parpille en miettes et *vlaf!... ptaf!...* partout! et encore! c'est du jeu de massacre!... le coup de sang d'Alphonse! que ce petit peigne-cul d'Abetz se permet que sa *Walkyrie* est pas juste! l'arrogance de ce paltoquet! ah! célébration de la Victoire! salut!... ptaf! vlang! balistique et têtes de pipes!...

Un service complet y passa, en fine porcelaine de Saxe. M. de Châteaubriant repartit, la barbe au vent, pour « se concentrer » et préparer la « terrible bombe morale » grâce à laquelle « l'âme la plus hautement trempée » devait remporter la victoire.

Des scènes aussi frénétiques et bien plus frénétiques encore, on en trouvera dix, quinze, vingt, dans *D'un château l'autre.* La déraison régnait, durant les derniers mois de guerre, dans le Reich sur lequel les bombardiers alliés répandaient leurs engins, sans avoir à se soucier d'une Luftwaffe désormais anéantie. D'autres témoins décriront sans doute, s'ils ne l'ont déjà fait, cette agonie de l'Allemagne hitlérienne, mais si consciencieux qu'ils soient, il est à présumer que la postérité leur préférera Céline et ses tableaux barbouillés de sang, de déjections et de débris humains. Les récits de l'épopée napoléonienne n'avaient pas manqué. Qui s'y reporte aujourd'hui? Ce n'est pas d'après l'un d'eux, mais d'après *La Chartreuse de Parme* que nous imaginons ce que fut Waterloo. C'est dans *D'un château l'autre* qu'un moment de l'histoire se trouvera fixé, et ce sera justice. Y a-t-il jamais eu d'autre vérité que celle que l'art parvient à imposer?

Il va sans dire que Céline, tel qu'on le connaît depuis un quart de siècle, ne se borne pas aujourd'hui à dévider une chronique. D'un bout à l'autre de son livre, il est présent, totalement présent. Vous vous rappelez les escales du *Voyage,* le Petit Togo, les États-Unis, les banlieues. Bardamu courait comme un dératé. On peut se demander si son exode de 1944 ne lui a pas été dicté par un irrésistible désir de fugue.

Je dois vous dire qu'en plus de voyeur, je suis fanatique des mouvements de ports, de tous trafics de l'eau... de tout ce qui vient vogue accoste... j'étais aux jetées avec mon père... huit jours de vacances au Tréport... Qu'est-ce qu'on a pu voir!... entrées sorties des petits pêcheurs, le merlan au péril de la vie!...

Maintenant, des hauteurs de Bellevue, c'est la Seine qui le fascine :

Y a pas beaucoup de fascinations qui sont pour la vie... la moindre péniche qui s'annonce, j'ai ma longue-vue, je la quitte plus de là-haut, de ma mansarde, je vois son nom, son numéro, son linge à sécher, son homme à la barre... je fonce plus... maintenant, la longue-vue, c'est tout!...

Il ne fonce plus. A quoi bon?

Ce qui est fait est fait, dit-il : l'Histoire repasse pas les plats.

Je crois pourtant que l'Histoire tournera en sa faveur. M. Gaëtan Picon, il y a quelques années, l'avait presque effacé, d'un *Panorama de la nouvelle littérature française.* M. Albérès, l'an dernier, ne tenait pas compte de lui dans un *Bilan littéraire du XXe siècle.* On a accusé Céline de mépriser l'homme. Peut-être le moment s'approche-t-il où quelques-uns ne se sentiront pas autrement fiers de l'avoir dédaigné.

Jacques Guyaux
Réapparition de Céline

Quel insupportable charabia!...

Vous souvenez-vous de Louis-Ferdinand Céline?

C'était il y a un peu plus de vingt ans. Dans la mare conformiste que les audaces de Gide ne parvenaient plus à troubler et où Sartre n'avait pas encore fait ses ricochets, tombait l'énorme pavé du *Voyage au bout de la nuit,* éclaboussant les plastrons, piétinant les plates-bandes, balayant les habitudes, lacérant les préjugés. Une voix anarchiste détonait virilement dans le chœur asexué des académies; un talent neuf se levait à l'horizon littéraire.

Enfin, un romancier français qui eût digéré Joyce! Enfin, un « Ulysse » latin! La France ne serait pas absente de la grande refonte des valeurs romanesques...

Il y eut ensuite *Mort à crédit* qui nous laissait sur notre faim mais nous gardait en appétit. Puis ce furent les révoltants pamphlets antisémitiques. Puis vint la guerre : Céline rejoignait Rosenberg...

L'écrivain rompt aujourd'hui un long silence.

Pourquoi?

Il l'avoue, dans un paragraphe qui est la clé de son livre :

Mon Dieu, que ce serait agréable de garder tout ceci pour soi!... plus dire un mot, plus rien à écrire, qu'on vous foute extrêmement la paix... on irait finir quelque part au bord de la mer... pas la Côte d'Azur!... la mer vraie, l'Océan... on parlerait plus à personne, tout à fait tranquille, oublié... mais la croque, Mimile?... trompettes et grosse caisse!... aux agrès, vieux clown! et que ça saute!

JACQUES GUYAUX, « Réapparition de Céline », *in Journal de Charleroi,* [Charleroi], 27 septembre 1957.

C'est par cet aveu que s'ouvre un chapitre de *D'un château l'autre*. Céline, le vieux clown, que sa médecine nourrit mal, s'est donc mis à sauter, à reproduire, d'un répertoire qui fut brillant, quelques numéros fatigués.

Pitoyable pantomime! Cette caricature de soi-même est l'un des plus pénibles morceaux de la littérature de ces dernières années. De la verve célinienne, des fécondes libertés que l'écrivain avait prises avec la syntaxe et le vocabulaire, il ne reste plus qu'un consternant galimatias. Le passage que j'ai cité plus haut est l'un des moins mauvais et j'en ai respecté l'envahissante ponctuation : tout l'art de Céline semble résider désormais dans ses points d'exclamation et de suspension. C'est, au fond, ce qu'il y a de meilleur dans cet ouvrage où le mot de Cambronne, abondamment répété, tient lieu d'humour.

N'y a-t-il vraiment rien à retirer de ce bourbier? Une dizaine de pages — sur trois cents, c'est peu — où l'on retrouve le reflet fugitif de ce qui fut un grand talent : quelques éclats d'une voix rauque mais puissante, quelques expressions vulgaires mais sonores, quelques beaux cris de colère ou de mépris, quelques pointes au curare... mais le lecteur paie cher ces rares bons moments.

Céline a attendu 1957 pour nous raconter comment sa piteuse conduite, pendant la guerre, l'a accroché, jusqu'à Sigmaringen, aux basques des Laval, Brinon, Châteaubriant et autres gros bonnets de la « collaboration », pour le claustrer ensuite pendant dix-huit mois, dans un cachot danois.

Il n'y a pas là de quoi se vanter. Il ne s'en vante d'ailleurs pas. Il écrit cela, parce qu'il n'a rien d'autre à écrire et qu'il compte sur sa réputation d'écrivain scandaleux, pour appâter le grand public : *La croque, Mimile...*

L'écrivain révolté et révolutionnaire du *Voyage* est ainsi devenu un valet de plume, qui a compris sans doute le premier qu'un seul livre l'avait usé et qui, vieillard cacochyme, remue en maugréant son brouet de haine et d'amertume.

Tâchons d'oublier ce peu reluisant personnage et de ne

nous souvenir plus que d'un romancier qui aura, en son temps, lancé un appel retentissant : un appel que Jean-Paul Sartre ou Henry Miller, entre autres, ont entendu. Pour cette bonne action, il sera beaucoup pardonné à Louis-Ferdinand Céline

1960. Interdit à la télévision française en 1959, Céline n'en poursuit pas moins sa rentrée littéraire. Enquêtes et interviews encadrent sans heurts la publication de *Nord*. Qu'il ait mieux joué le jeu de l'édition, qu'il soit devenu une habitude ou une tolérance, toujours est-il que l'on paraît, cette fois, plus sensible au créateur qu'au polémiste. Avec la caution de quelques grands hebdomadaires parisiens, la voie est désormais ouverte à une critique amendée ou bénissante. Même si l'on ne peut trop prêter à de telles manifestations, elles constituent — à défaut d'une plus juste compréhension — un premier signe de bienveillance.

Jean-Louis Bory
Bardamu à nouveau seul contre tous

Un nouveau livre de Céline n'est pas, à proprement parler, une nouveauté : tant le récit et, surtout, le ton de ce récit nous sont à présent familiers. Céline réédite sans cesse le coup de tonnerre du *Voyage au bout de la nuit.* Nous ne faisons que reprendre une lecture interrompue. A nouveau les nuées, les faisceaux de foudres, le piétinement rageur, l'essoufflement illuminé. *Nord* est la suite exacte (compte tenu d'un léger recul chronologique) de *D'un château l'autre,* qui racontait, on s'en souvient, la très singulière existence de 1.142 condamnés à mort français dans un petit bourg allemand.

Je ne sais pas si Froissart, Joinville ou Commines ont fait exprès d'être mêlés aux événements qu'ils décrivent... Ils se sont trouvés là

Jean-Louis Bory, « *Nord,* par L.-F. Céline. La suite de la chronique frénétique de Sigmaringen : Bardamu à nouveau seul contre tous », *in L'Express* [Paris], 26 mai 1960.

par la faute des circonstances historiques... Moi aussi, je me suis trouvé dans une histoire... Je n'y tenais pas du tout, à aller à Sigmaringen! Seulement on voulait m'arracher les yeux à Paris! On voulait me tuer! Je me suis trouvé pris dans un tourbillon...

Par peur d'être « épluché » en France, Céline a donc fui devant la Libération, et ce voyage risque de tourner en voyage au bout de l'Europe. *Nord* reprend le récit de ce tourbillon au moment où l'attentat manqué contre Hitler (juillet 1944) ajoute la pagaille à la superécrabouillerie. Vrai chaudron de sorcière que cette Allemagne coincée entre Américains et Russes, où bombardements, haines, complots, paniques et fureur de vivre secouent avec la dernière violence l'humanité la plus disparate — toutes les nationalités d'Europe, prisonniers, soldats, déserteurs, objecteurs de conscience, prostituées, nazis, antinazis, aristocrates, déboussolés. De Baden-Baden, où la nouvelle de l'attentat éclate dans un décor pour opérette viennoise, à Berlin, capitale de cauchemar que se disputent la peur, l'hystérie collective et la tracasserie policière, et de Berlin à un « dienstelle » situé dans un château à cent kilomètres vers le Nord, Céline, traqué, en compagnie de sa femme Lili, de l'acteur Le Vigan et de son chat Bébert, semble conduire un bal vertigineux. Avec la jubilation morose que l'on sait, il fait exploser sous nos yeux un univers qui tient de Shakespeare, de Hoffmann et de Fritz Lang.

De ce « Kaputt » frénétique, de ce typhon en forme de fresque, le personnage central est évidemment Céline. Sans quitter le plan du délire, l'épopée cède au lyrisme. L'autojustification, la rancœur, la rage de s'être montré si « con », la provocation, l'incommensurable mépris pour notre monde (« le monde nouveau, communo-bourgeois, sermonneux, tartufe infini, automobiliste, alcoolique, bâfreur, cancéreux, connaît que deux angoisses : *"son cul? son compte?"*, le reste, il s'en fout!* ») composent un mélange parfaitement détonant. A cause de la monstrueuse, scandaleuse sincérité (ou impudeur, comme vous voudrez) de son auteur. On ne cesse de prendre notre « baveux » sur le vif, au cœur du cratère, en pleine éruption, pendant le déluge des laves. C'est du lyrisme à haute tension — que dis-je! c'est de l'exhibitionnisme. Qu'on imagine un Victor Hugo lancé tous freins cassés, dans un schuss vertigineux, ou plutôt un Rabelais à réacteur. Rabelais, non parce que l'un et l'autre recourent à la grossièreté (ce qui serait une vue bien simple), mais parce que chez l'un et l'autre, la « grossièreté » est l'expression nécessaire d'un « grossissement » dans la vision du monde. *« Les chroniqueurs sans conscience rapetissent, expliquent, mesquinent les faits! Oh! votre serviteur... du tout! le respect des somptuosités! »* (« Normance »). Je vois dans Bardamu-Céline le Pantagruel de l'ère atomique, non plus bénisseur d'une Renaissance dont il attend tous les miracles, mais en pétard (au sens propre) contre son époque, embarqué, malgré lui, dans une répugnante expédition qui n'est plus imaginaire), secoué d'une frénésie verbale qui abandonne rarement le mode de l'émeute individuelle. Ferdinand la Colère, ou le Grand Soir fait homme.

La force (la sincérité) de Céline vient de ce qu'il s'est forgé, comme Rabelais, un langage à la mesure de son lyrisme. Céline, c'est essentiellement un souffle, un style — ou, selon sa propre expression, une « certaine petite musique ». Il a transporté l'éruption volcanique dans le vocabulaire, la syntaxe et la ponctuation. Écriture en transes, ouragan des couleurs, *Nord* progresse encore, semble-t-il, sur la voie de la libération stylistique, vers l'expression immédiate du rendu émotif, l'exacte répercussion des vertiges. On ne peut rêver accord plus étroit entre ce style brutal, déconcertant, où le raffinement suprême conduit à l'utilisation d'une syntaxe « à l'état sauvage », et la sauvage apocalypse de notre récente Histoire, la chute de cette maison Usher qu'était l'Allemagne nazie.

Non plus qu'accord plus intime entre cette écriture et ce picaro de la banlieue parisienne, ce dynamiteur verbal, ce Pierrot bourru, bouffeur de nuages naviguant, entre mémoire et prophétie, du rabâchage à la vaticination, ce vieillard haineux, génial et radoteur, le vieux

clown grandiose d'un cirque à l'échelle de notre globe où
il assume à la fois le boniment et la parade, les cabrioles
et les grimaces, la voltige et le dressage des fauves — ricanant d'angoisse à l'idée du dernier rivage.

Maurice Nadeau
Céline et l'Apocalypse

Je n'ai pas de sympathie pour l'homme, bien que l'aie
défendu à une époque où il y avait quelque mérite à le
faire : je ne peux souffrir ses gémissements, je le trouve
trop habile dans ses diverses manières d'appeler sur lui la
pitié. Il n'est ni l'innocent hurluberlu pour lequel il voudrait se faire passer, ni le monstre que voient en lui les
innombrables ennemis qu'il s'est faits, ni le bouc émissaire
d'une société qui lui ferait payer les péchés qu'elle a commis. On le trouve mal venu de se plaindre pour les souffrances qu'il a endurées quand d'autres gens de lettres (car
c'est pour ses *écrits* antisémitiques qu'on lui en veut d'abord
et surtout), ont été tout bonnement fusillés. L'existence du
docteur Destouches à Meudon, n'est pas rose, on veut
bien le croire, mais il vit, il écrit et il publie ; on lui laisse
la paix ; faut-il, en plus, qu'on le tienne pour une *conscience*?
Le Bardamu du *Voyage* semblait mieux s'accommoder
de cette « vacherie universelle » dont il n'y a pas lieu,
certes, de contester l'existence. Dans son abjection, il avait
plus de dignité que le vieil homme fourbu qui s'obstine à
proclamer qu'il a toujours eu raison, qui voudrait qu'on lui
tresse des couronnes (l'ambition est nouvelle) pour sa luci-
dité et son courage. A d'autres, Ferdinand !

Mais voyez la contradiction dans laquelle il nous enferme : on ne peut en même temps se défendre d'admirer
l'écrivain. Non seulement l'auteur du *Voyage*, qui a boule-

MAURICE NADEAU, « Céline et l'Apocalypse », *in France Observateur*
[Paris], 9 juin 1960, © *France-Observateur, 1960.*

versé nos jeunes années et durablement influencé les écrivains qui sont venus après lui : *La Nausée* lui est bien dédiée, n'est-ce pas ? [1] et Queneau a reconnu ouvertement sa dette ? et Aragon s'est occupé de faire traduire le *Voyage* en russe ? Mais aussi l'auteur de *Guignol's Band* et même d'*Un château l'autre* et bien qu'il soit de plus en plus visible que Céline n'a plus grand-chose à dire, sauf à gratter devant nous ses plaies.

Si sa verve est intacte, il n'est plus mené par *la nécessité de dire,* il écrit ses « pensums » afin d'honorer un contrat d'édition, comme il le reconnaît lui-même, et sur ce point on peut le croire. Et bien que, également, il n'ait renouvelé ni sa manière ni son style dont on voit mieux, le temps et la familiarité aidant, les procédés et les tics. Un grand auteur reste fidèle à lui-même, sans doute, mais, chemin faisant, il acquiert et conquiert, évolue, découvre et se découvre, alors que Céline s'est fossilisé dans des procédés d'écriture qu'il avait mis au point et auxquels il a fait rendre le maximum il y a vingt-cinq ans. Il écrit encore comme personne n'ose écrire aujourd'hui, même parmi nos fougueux nouveaux venus, mais à la façon d'un écrivain qui se prendrait pour Céline et qui serait, certes, le plus apte à pasticher son modèle. Bref, le courant ne passe plus avec la même tension qu'autrefois et quelques-uns de ses ouvrages dont nous lui faisons grâce, comme *Normance,* par exemple, étaient morts avant que d'être nés.

D'un château l'autre laisse dans le souvenir quelques scènes extraordinaires (Bonnard [2] brisant dans une crise de colère la précieuse vaisselle de Sigmaringen, la promenade journalière de Pétain et ses ministres à la queue-leu-leu), noyées dans un débagoulage parfois pénible. *Nord* qui, aujourd'hui, lui fait suite tout en faisant allusion à des évé-

1. *La Nausée* est dédiée « Au Castor ». On lit seulement en épigraphe : « C'est un garçon sans importance collective, c'est tout juste un individu. » L.-F. Céline *(L'Église). (N.d.E.)*
2. En fait, A. de Châteaubriant (pp. 245-6). *(N.d.E.)*

nements antérieurs, me paraît supérieur. Les temps morts sont réduits au minimum et l'auteur s'arrange pour les combler par des drôleries qui n'appartiennent qu'à lui; le récit est tendu et dramatique, admirablement composé en dépit d'un laisser-aller apparent, et cette qualité d'humour dans le tragique que possède au plus haut point Céline se déploie dans tous ses avantages. Malgré des événements et des personnages épisodiques (sauf lui, Céline, qui se tient vigoureusement au centre), c'est bien d'un roman qu'il s'agit, non d'un reportage ou d'un simple récit.

Il reprend les choses au commencement : quand, obligé de fuir son domicile de la rue Girardon par crainte d'être bientôt « pendu à son balcon », un peu avant la Libération, il choisit de suivre Allemands et « collabos » en retraite jusqu'en Allemagne. Il échoue d'abord, avec sa femme, leur chat Bébert et l'acteur Le Vigan, dans un hôtel de Baden-Baden. Les grands personnages de la vieille Allemagne (notamment l'épouse du général von Seekt qui eut maille à partir avec Hitler) y continuent de prendre les eaux comme si de rien n'était et de jouer à la roulette du casino. L'atmosphère est celle de Monte-Carlo. On casse du sucre sur le dos du génial Führer, « funeste petit clown ». On se réjouit ouvertement de l'attentat dont il a été victime et dont, malheureusement, il a réchappé. Les réfugiés français font même un peu figure de gêneurs et on envoie Céline se faire pendre ailleurs, à Berlin, auprès du *Reichsoberarzt* Hauboldt qui lui donnera une affectation de médecin.

Céline, Lili, Le Vigan et le chat Bébert tombent dans un Berlin déjà fort endommagé par les bombes alliées — mais où les décombres soigneusement empilés en tas géométriques numérotés donnent la meilleure impression sur la capacité d'ordre des Allemands — puis sur le Professor Hauboldt, führer de tous les médecins du Reich. Céline n'a pas de goût pour les S.S. mais celui-là ne saurait passer pour un fanatique.

L'athlétique, pittoresque et tout-puissant Hauboldt règle la situation du docteur Destouches en trois coups de téléphone et deux coups de tampon : il l'envoie exercer ses ta-

lents dans une *Dienstelle* à cent kilomètres de là, dans le château des Scherz, à Neuruppin.

La plus grande partie du roman relate les événements
qui se déroulent au château de Kräntzlin, à Neuruppin, durant le temps que nos fugitifs y séjournent, alors que les
avions alliés ne rencontrent plus de résistance dans le ciel
allemand, que Berlin, pilonné de jour et de nuit, n'est
plus qu'un monceau de décombres et que les Russes à l'est,
les Alliés à l'ouest convergent vers le centre du Reich. Le
Lagrat Semmelring fait régner la loi martiale sur la région
et le S.S. Matchke l'ordre au château, mais il s'agit là
(brutalités et exécutions mises à part) d'une pure apparence. La grande famille prussienne des Scherz s'est depuis
longtemps détournée de Hitler et ne cherche plus qu'à
résoudre ses propres problèmes de successions, de lignages
et d'héritages (Isis Scherz propose à Céline d'empoisonner son mari cul-de-jatte afin d'en hériter), tandis que le
pays appartient en fait, d'après l'auteur, aux réfugiés et
prisonniers de toutes nationalités (Russes, Polonais, Français, Tziganes, objecteurs de conscience allemands), par-
qués en cet endroit dans l'attente improbable de jours meilleurs.

Céline, à qui il en faut beaucoup moins pour se sentir
traqué, s'attend à être « descendu » à tout moment en tant
que « sale collabo », tandis que Le Vigan donne des signes
de plus en plus nets de découragement mental et que Bébert réclame en vain son poisson journalier. Passe encore
de se faire cracher dessus, au passage, par les S.T.O. français, mais de voir les ménagères allemandes s'en prendre
également à lui, le met hors de ses gonds. En fait, tout
le monde à Kräntzlin attend les Alliés, la fin du cauchemar et la délivrance. Et tout le monde y met du sien : un
beau soir, le châtelain, son gendre et le *Lagrat* Semmelring
sont assassinés sans qu'on puisse rien faire pour trouver les
coupables. Céline soupire après la protection d'Hauboldt
et tire ses plans pour partir au Danemark. Avec le retour
tonitruant du führer des médecins et après une discussion

entre le général et un autre sur le chemin suivi par les armées de Napoléon en retraite, l'affaire entière se termine en farce dérisoire.

Céline a d'abord voulu peindre ses propres tribulations à l'intérieur d'un pays qui se sent frappé à mort et qui a d'autres chats à fouetter que de s'occuper du sort de ses « amis » en difficulté. On peut compter sur l'auteur pour le pittoresque, la drôlerie noire, le ricanement intempestif. Il n'a que cinquante ans mais doit déjà s'aider de cannes pour « boquillonner », comme il dit, et il se voit, au moral, comme un gêneur, un pestiféré, un mort en sursis. Maladivement méfiant, il attend à chaque instant le coup de révolver dans la nuque de la part d'un S.S., ou le traquenard bien monté dans lequel on va le faire tomber, ou la saloperie bien noire dont on va le faire complice. Les conditions matérielles ne sont pas fameuses : il couche dans la paille, même au château de Kräntzlin, et comme tous ceux de la base, comme tous les miteux, il doit se débrouiller pour manger. Il peut avoir accès à l'armoire aux vivres de son ami Hauboldt qui lui en a confié la clé, mais il n'use de la permission que pour les autres, dont il lui faut acheter la protection ou la complicité. Il n'aime pas les Allemands dont il souligne à merveille les ridicules, il craint les S.S. et il se méfie des réfugiés, surtout français. Son délire de persécution a de quoi s'exercer.

Il peint mieux encore, et magistralement, les milieux et les personnages. Celui de la vieille aristocratie prussienne qui aurait pardonné à Hitler la victoire et qui, le voyant lamentablement échouer, s'efforce de sauvegarder ses intérêts de caste. Elle laisse quelques plumes dans l'aventure mais ne craint pas l'avenir. Pour Céline il existe une internationale des nantis, qu'ils aient ou non particule, des bien nourris et des « bien baisants » qui se tient solidement les mains par-dessus les frontières et assiste à la guerre comme au spectacle. Le milieu hitlérien, celui des petits führers et des S.S. est plus sinistre : ce sont des parvenus, bêtes et primaires, qui ont le revolver facile. Ils n'atteignent à la classe supérieure, comme Hauboldt, que par le cynisme, le goût de la puissance et celui de l'aventure. « *Tous para-noïaques, hein?* » constate, ricanant, un général nazi qui se promène avec, dans sa poche, un tampon « large comme la main ».

Il y a enfin la piétaille, celle qui sous tous les régimes, crève de faim, donne sa vie ou ses enfants à la patrie. Elle connaît un sort à peine meilleur que celui des déportés du travail obligatoire, des réfugiés, des prisonniers militaires. Pour un peu, elle finirait par reconnaître ses vrais ennemis : les von Seekt et les Sherz, les petits et grands nazis. Des représentants de ces divers milieux, Céline croque des portraits étourdissants : un ou deux traits pour la silhouette, une ou deux épithètes bien choisies et voici les pantins à particule ou à galons et buffleteries admirablement campés. Des pantins, oui, car des hommes, Céline n'en a jamais vus et ne sait pas les voir.

Enfin, et plus encore, et avec le génie qui lui appartient, Céline a brossé un tableau des « désastres de la guerre » qui se tient à la hauteur des événements. Ici ses défauts le servent : l'incohérence de son débagoulage, ses images à l'emporte-pièce, son goût du bluff et de l'exagération, le désir d'en remettre à tout coup. Il nous plonge dans le tohu-bohu, la sarabande infernale, l'Apocalypse. On entend des cris, des lamentations, des rires hystériques entre les éclatements des bombes et le roulement de tonnerre incessant des forteresses volantes. L'horizon jaune, rouge, noir de fumée c'est Berlin, à cent kilomètres de là et qui n'est plus qu'un vaste cratère. Les murs tremblent, les plafonds s'écaillent, le sol danse sous les pieds, nuit et jour pendant des semaines et des semaines. Les nantis libèrent leurs instincts et leurs vices : on se saoule à mort, on vomit, on se livre aux partouzes. Le goût du sang vient par là-dessus, la vie est pour rien, la capilotade proche.

Tout ce monde, du haut en bas et jusque dans les profondeurs attend la mort imminente, la destruction, avant que s'opère le déchaînement final qu'on espère et pour lequel on retient sa place. Céline, flageolant, rasant les

murs du village, hantant comme un somnambule les sous-
sols du château, sent venir l'étripade. Une fois de plus, il
s'est fichu dans un sacré mauvais cas.

Paradoxalement, ce sinistre tableau n'émeut guère. Il
respire même une sorte de joie macabre et sarcastique qui
invite à considérer la tragédie sous les couleurs d'une
farce haute en couleur et qui n'est certes pas du meilleur
goût, mais — et la philosophie de l'auteur est là-dessus bien
arrêtée — on ne saurait mieux attendre de la part des
hommes en société quand ils s'avisent de trouver un bon
moyen de passer le temps. On ne peut pas toujours « bouffer » et « baiser »; il faut de temps en temps se donner
des émotions : en est-il de plus riches que dans la tuerie
collective et organisée? Pour sa part, Céline ne désespère
pas de voir maintenant bientôt arriver « les Chinois ».

André Rousseaux
Splendeurs et misères de Céline

Pauvre Céline! La victime, le persécuté... Je veux bien,
ou comme il dit, je veux. Un malchanceux, Louis-
Ferdinand : il a joué la mauvaise couleur et il a perdu.
Entendu. Mais à ce drôle de jeu, comme dit l'autre, certains ont reçu de plus mauvais coups. Ceux-là ont aussi été
exilés en Allemagne, mais en des endroits plus sinistres que
Baden et Kräntzlin. Des noms comme Dachau, Buchen-
wald, Auschwitz, cela ne vous dit rien, Céline? Pourtant,
ce qui s'est passé là-bas, c'est un peu votre affaire aussi.
Les juifs que vous aviez troussés d'une plume allègre, on a
fini avec eux ce que vous aviez si bien commencé. *Bagatelles pour un massacre,* disiez-vous. Une trouvaille comme
vous en avez. Je sais, je sais. Vous avez choisi les nazis. Si

ANDRÉ ROUSSEAUX, « Splendeurs et misères de Céline », *in Le Figaro
littéraire* [Paris], 9 juillet 1960, © *Figaro*.

les choses avaient tourné autrement, vous seriez du bon côté. C'est ce que vous tenez à nous faire entendre. Je voudrais seulement vous indiquer d'un mot que, pour les gens dont je vous parle, cette affaire-là n'était pas une partie de pile ou face. Les Allemands, les Français, ils ne mettaient pas tout le monde dans le même trousseau. Il y avait pour eux la France conquise, la France envahie, la France occupée, et la France qu'ils voulaient libre. Alors...

Mais non, je m'arrête. Ces choses sont pour Céline sans intérêt. Il ne les comprend même pas, il les ignore. Il met d'ailleurs à cette ignorance une sincérité qui le tient au-dessus de bien des hypocrisies et des équivoques. Cynique? Non, solidement établi dans une sorte de vitalité sommaire à l'état brut. C'est dans cet établissement que son génie de la véracité se fait admirer autant que nous l'allons dire. Mais il faut bien marquer que Louis-Ferdinand Céline, s'il est un écrivain français hors série, relève d'abord d'un certain mépris.

Hors série, cet écrivain? Pourquoi donc, après tout? Pourquoi pas du premier rang, tout simplement? Il n'écrit pas comme tout le monde, heureusement. Même, il n'a pas cette espèce de qualité académique qui fait que certaine littérature de grande classe, même quand elle est riche de justesse, de saveur, de vivacité, demeure chose de plume et de papier. Avec Céline, les vieilles formules scolaires, qui vantent le langage des crocheteurs du port au foin, sont à remettre en usage. Quand, nous dit-il,

toutes les littératures, de la mercière ou des Goncourt, partent à débloquer [...] je devrais moi aussi, je sens, y aller du couplet... voilà je n'ai plus le sens ni l'esprit...

Il ne pourrait pas, Dieu merci. Mais parce qu'il écrit comme on parle, ne croyez pas que du Céline c'est des mots qui viennent tout seuls, en une improvisation facile. C'est du langage parlé, certes, et ce l'est si bien qu'il faudrait le lire tout haut pour qu'il prenne sa vie sonore. Si on l'aborde sur la page, dans ses lignes imprimées, il risque de rester lettre morte. Il ne nous dit rien. Seulement, que cette parole entre dans le jeu qu'elle a préparé, alors quelle force pour s'imposer ! Et c'est ici qu'il faut le signaler : ce style exceptionnel, qui est un grand style, est travaillé de main de maître. Céline l'a dit dans une interview récente, ses brouillons portent la trace des efforts et des sacrifices que chaque ligne lui a coûtés. Ces mots qui éclatent de sève, quand ce n'est pas de virus, ce jet verbal dont la justesse vous frappe de plein fouet, ce propos soutenu par des rythmes où l'octosyllabe exerce sa domination musicale, c'est toute une symphonie, dont le compositeur est un grand artiste. On pourrait s'y tromper, parce que cette musique a un pouvoir de nouveauté si brutale qu'elle correspond très peu à ce que la musique des mots représente à nos oreilles ordinairement. Mais dans le temps où le français le plus accompli évite mal que ses perfections ne soient touchées par l'usure dont les vieilles civilisations portent la patine, un livre de Céline, et celui-ci en particulier, nous fait respirer le souffle de la langue française ressuscitée.

Ce qui fait de *Nord* un des meilleurs ouvrages de Céline, c'est qu'il est orchestré par un grand sujet. Quand les inconvénients de la collaboration ont poussé Louis-Ferdinand à prendre le chemin de l'Allemagne, il s'y est trouvé dans les mois où le régime de Hitler devait faire face à la débâcle. Il arrive en Prusse pour entrer dans l'automne et l'hiver de 1944. Cette évocation est pilonnée d'un bout à l'autre par les bombardements aériens des Alliés. Il y aurait tout pour faire un livre terrible et grandiose, si ce n'était pas du Céline. Non que l'auteur du *Voyage au bout de la nuit* ne soit un écrivain du malheur. La misère, ça le connaît, et l'injustice, et la vie harcelée. Mais c'est plutôt les petites misères qu'il dénonce, les tracas dont est empoisonnée la vie des pauvres gens. Il mâchonne. Il ronchonne. Ce grand persécuté grogne sur les petites choses. Voici qu'il lui est échu de passer par un enfer, mais il y pousse son personnage sur un échiquier de petites vies, de petites disputes, d'incidents dérisoires. C'est de la tragi-comédie, bien sûr, avec la mort en personne à la porte du théâtre. La mort n'est-elle pas toujours à la porte, quand des vivants s'accolent ou se chamaillent? D'ailleurs il est médecin, Céline, et le passage de la vie à la mort, il en a une connaissance technique. « Mort à crédit », nous a-t-il dit un jour. Sous les bombes qui font des cratères dans les cratères, voici une galerie de débiteurs en sursis.

D'abord Louis-Ferdinand lui-même avec ses trois compagnons : premièrement sa femme, Lili. En second lieu, l'acteur Le Vigan, mort aujourd'hui, et dont le personnage de rêveur éveillé rappelle de façon irrésistible celui qu'il jouait quand il était le droguiste d'*Intermezzo*. Rappelez-vous le mouvement fantasque qu'il avait pour prononcer le mot final à la chute du rideau, comme s'il eût été le poète lui-même. J'imagine qu'il a donné dans la collaboration avec la même ingénuité. Non que j'aie le goût de fournir des raisons et des excuses aux amis de l'ennemi. Mais il y avait sans doute chez Le Vigan un être évadé du réel, et par là innocent, à tous les sens du mot, en commençant par celui que lui donne le langage méridional pour désigner certaine forme du mystère humain.

Arrivons enfin au troisième compagnon, le chat Bébert. Un innocent aussi. Mais c'est l'innocent statique, enfermé dans son panier, qu'on trimbale de ruine en ruine, de bombardement en bombardement. L'impassible Bébert, dont les maîtres assurent la pitance quoi qu'il arrive, et même si pour leur compte ils se serrent la ceinture, Bébert dont la patte passée sur l'oreille ne se laisse pas troubler par la vue d'un S.S., me semble réaliser ce dont Céline a le souci maugréant : l'indifférence libérée des tracasseries du genre humain. En ce sens, il est, sinon le personnage principal, du moins celui qui surclasse superbement les autres. Collabo, Bébert? Pourquoi pas résistant plutôt, résistant à tout ce qui passe de tumulte au large de son panier. En tout cas, ces mots qui font la vie mauvaise n'ont pas de sens pour lui. S'il y a une issue à la mêlée des crabes, elle est du côté de Bébert. En réplique au misérable Céline, Bébert a la sérénité d'un dieu.

Voici que je me prends moi-même au jeu. Mais c'est un jeu qui ne nous lâche pas, dès que nous y sommes entrés. S'il n'y avait pas Bébert, il n'y aurait pas l'hôtel interdit aux chiens et aux chats, et la nécessité, pour Céline et les siens, de chercher un asile à l'inénarrable hôtel Zénith. On aborde d'emblée un épisode inouï. Mais il n'est pas question de rendre compte, comme on dit, de ces histoires qui, toutes, semblent développer leurs cocasseries à partir de la réalité vécue. Quelle est la part de l'invention dans cette farce de grande classe? Je croirais plutôt que Céline a le don de mettre en valeur incomparable ce qu'il y a de comique latent dans tout guignol vivant qui passe à sa portée. Vous connaissez les gens qui disent : ces choses-là n'arrivent qu'à moi. Du côté de Céline, il n'arrive que du burlesque, du jamais vu, de l'incongru ou de l'étonnant, prêt à faire du Céline plus fort que tout ce qu'on pouvait attendre. De refuge en refuge, un S.S. qui lui veut du bien le retire de Berlin pour l'envoyer dans une vaste propriété, ouverte sur l'immense plaine de l'Est, où la vie lui sera plus paisible. Or voici que cette propriété est régie par un fou — et il n'est pas sûr que le bon S.S. ne le savait pas. Et ce n'est qu'un des éléments d'une aventure où le train est mené par des Allemands et des Allemandes de toute espèce, bourgeoises farfelues, prostituées endiablées, des Français aussi, des objecteurs de conscience auxquels le Reich fait fabriquer des cercueils, et à qui la qualité de travailleurs vaut d'appréciables privilèges nourriciers. J'allais oublier des tziganes plus hongrois que nature, qui composent une figuration de ballet fantastique autour d'un cheval dépecé et servi en festin. Une farce, ai-je dit. Mêlée de drames qui la prolongent plus qu'ils ne l'interrompent. J'en pourrais signaler d'un mot, qui susciteraient une surprise horrifiée. Mais ce serait trahir Céline, qui au contraire préside à une sorte d'harmonie incomparable du contraste, de l'hétéroclite, voire du tohu-bohu.

Il y a dans tout cela de quoi faire des scènes qu'on se plaît à dire shakespeariennes. Prenons garde, cependant, que cette imagerie haute en couleur serait guettée par l'anecdotique, sans l'art qui la transfigure. Les événements, eux, dépassent l'ordinaire, tant ils se jouent de l'ordinaire. Mais c'est le narrateur qui s'y installe pour se mesurer avec eux. Un homme aux prises avec un tel monde, on le placerait sous le signe du destin. On se souviendrait des Grecs pour parler d'« anankè ». Mais Céline, s'il garde la tête froide, c'est pour chipoter sur la petite adversité quotidienne.

Sans doute n'est-ce pas chose mineure que le jeu de cache-cache avec la guerre qui, pour certains, a fini par le poteau d'exécution. Mais avec Céline, tout revient toujours à la récrimination maussade et menue du genre : c'est toujours les mêmes qui s'en tirent, et toujours les pauvres bougres qui écopent. Traîtres ou pas traîtres, voyez les malins qui tiennent maintenant le haut du pavé, et qui désigneraient volontiers le pauvre Céline à la vengeance dont ils ont su se garer. Pauvre type, oui, tel est son lot, et les grands malheurs du monde se détaillent pour lui dans la menue monnaie des petits embêtements. D'ailleurs, il n'y a plus de grandes choses. Les guerres, par exemple, les victoires, les défaites. Vous croyez que les guerres finissent à Waterloo. Pas du tout. Ce qui mettait fin aux guerres, c'était les épidémies. Une offensive de microbes faisait taire les canons. Eh bien, notre monde a perdu aussi les prestigieux microbes. Le médecin Céline le sait bien :

Microbes fainéants, guerre continue ! [...] deux typhoïdes à Zagreb !... une varicelle à Chicago ! de quoi abattre bien des courages ! [...] l'humanité dans de beaux draps !

Les ressentiments de Céline composent à petits traits le tableau de cette humanité. Mais qui écoute ce grognon ? Son éditeur, qu'il débaptise de Gaston en Achille, vend mal ses livres — à ce qu'il dit. *La Revue compacte* lui refuse sa copie. Il semble qu'au fond Céline sente qu'il est un écrivain bien plus important que la situation qui lui est accordée parmi les faiseurs de la foire aux lettres. Là est l'injustice dont il souffre le plus profondément. Rassurons-le.

J'ai dit ce que je pense de l'homme. Mais je répète, en terminant, que des pages de cette écriture donnent sa vie la plus forte à la littérature actuelle.

1964-1969. Si le nom de Céline est mieux reçu à la faveur des publications posthumes, des sollicitudes comme des vigilances suspectes n'ont pas favorisé une relance de la critique. Doublé d'un titre quelconque, *Guignol's band,* 2, puis *Rigodon* ne gagneront rien aux petits mystères qui les ont accompagnés.

L'apport des *Cahiers de l'Herne* et les premières esquisses de la critique universitaire n'ont pu renouveler les mentalités. Trop souvent, d'un compte rendu à l'autre ce ne sont que répétitions des mêmes « scies », redécouvertes d'évidences déjà anciennes.

En 1969, faisant table rase de trente-sept années d'esquive ou de contradictions opiniâtres, Le Clézio dessine explicitement les conditions de la « réactualisation » de Céline.

François Nourissier
[*Ce n'est plus toujours éblouissant, et c'est gratuit*]

Trois années après la disparition de Louis-Ferdinand Céline, voici *Le Pont de Londres,* « roman inédit ». Jusqu'à nouvel ordre, l'histoire littéraire n'est pas très bien renseignée sur la chute de ce météore. On nous explique dans une note assez brève que Mme Marie Canavaggia, qui fut la secrétaire de Céline, a retrouvé en nettoyant des placards (les siens? ceux de l'écrivain?) un texte dactylographié. La veuve de Céline, Mme Lucette Destouches, y « reconnut le ton et les personnages de *Guignol's band* » (roman paru en 1944) et confia à M. Robert Poulet le sort de ces papiers. Celui-ci nous dit avoir découvert là, enchevêtrées, trois versions d'une même histoire, dont l'une,

François Nourissier, « *Le Pont de Londres* de L.-F. Céline », *in Les Nouvelles littéraires* [Paris], 9 avril 1964.

incomplète, paraissait la mieux achevée. C'est donc elle qu'il a décidé de publier, lui ajoutant la fin de la version terminée, se contentant de faire quelques corrections (« fautes de frappe, lapsus, ponctuation ») et de donner au livre son titre.

Disons tout de suite qu'il eût été sans doute plus raisonnable de s'en tenir au sous-titre, *Guignol's band* 2, sans faire endosser à Céline ce *Pont de Londres* auquel il ne peut mais. Quant au reste, l'intérêt d'une telle publication nous fera oublier ce qu'il y a toujours d'un peu inquiétant (malgré le sérieux à coup sûr exemplaire de M. Robert Poulet) dans la manipulation des textes inédits, leur correction, le choix entre les diverses versions, etc. Nous aurions préféré, à ce roman artificiellement parfait, une édition critique avec notes, variantes et explications, qui nous eût instruits sur la façon dont travaillait Céline, et nous épargnerait d'avoir à porter un jugement sur une œuvre à l'état de brouillon, certes très élaboré, mais que l'écrivain n'eût vraisemblablement pas livrée au public sous cette forme.

Ces réserves étant exprimées, que penser du *Pont de Londres*?

On sait que *Guignol's band,* que nous devons considérer comme le premier volet de ce diptyque, n'est pas du meilleur Céline. Les livres majeurs resteront *Voyage au bout de la nuit* et *Mort à crédit,* qui sont des plaintes et des cris, une colère et une révolte brûlantes, et les chroniques de la fin : *D'un château l'autre* et *Nord.* Autrement dit, le grand Céline parlait en son nom ou, plus tard, se fit le mémorialiste de la navrante aventure dans laquelle il trempa. Mais en lui le polémiste et le romancier n'étaient pas de la même qualité. Outre que les pamphlets de l'avant-guerre sont méprisables dans leur propos, ils sont littérairement assez médiocres. Quant aux « fictions », ce *Pont de Londres* nous donne une occasion, un peu équivoque, mais quand même juste, d'en parler.

Nous retrouvons Ferdinand dans le Londres de 1916, où il avait déjà connu *(Guignol's band),* mêlé à la pègre de

Soho et de Greenwich, d'assez folles aventures. Cette fois, Ferdinand et son compère, Sosthène de Rodiencourt, se font engager par un certain colonel O'Colloghan, qui aspire à remporter un concours de masques à gaz, pour l'assister dans ses travaux. Mais le colonel a une nièce de quatorze ans, Virginia, dont Ferdinand tombe amoureux et qu'il finira, après quelques scènes d'orgie, par violer sous la pluie, dans la rue.

Le Pont de Londres est moins un roman picaresque, une aventure où le délire verbal le dispute au délire tout court, qu'une étrange histoire d'amour et d'érotisme noyée dans un désordre de scènes de violence, de cocasserie, de grossièreté et de dérision. Le seul lien véritable entre les épisodes extravagants du livre, c'est le désir de Ferdinand, la folie ou la rêverie amoureuse de Ferdinand, sa poursuite dans les rues, les parcs, les corridors, les pubs, sous la pluie, des quatorze printemps acidulés, moqueurs et passablement vicieux de Virginia.

Je l'avoue : un malaise ne m'a guère quitté pendant que je lisais ce livre. Sans même parler du malaise moral (car elles manquent de fraîcheur, cette enfançonne et cette histoire d'amour...) la seule réflexion littéraire suffirait à m'embarrasser. Il me semble que tous les fidèles de Céline (j'entends : fidèles pour de bonnes raisons) seront déçus par *Le Pont de Londres*. Le lyrisme de l'écrivain, son invention, ses explosions, sa fureur, employés au simple déroulement d'une intrigue, donnent l'impression d'une énorme machine qui patine, s'emballe, ronfle en vain, sans que le livre, immobile, embourbé, avance d'un pouce. De ce torrent encore prodigieux, soudain, c'est une certaine pauvreté qui nous frappe. Nous remarquons les tics d'écriture, dénombrons les mots inlassablement répétés. La préciosité nous gêne. Ce n'est plus toujours éblouissant, et c'est gratuit. Au fond, l'histoire nous ennuie, et le style célinien, quand il n'est plus sous-tendu par la révolte ou l'émotion, tourne à l'autopastiche.

Il faut entendre ces réserves, il va sans dire « au niveau le plus élevé ». C'est un de nos plus grands écrivains que nous déplorons de ne retrouver ici que par éclairs. Car les éclairs existent. Ils ne sont pas, selon moi, dans les grandes scènes, les morceaux de bravoure sur lesquels la publicité du dos du livre attire notre attention, mais dans tel et tel passage où le vrai Céline perce sous l'écrivain que ses propres tempêtes dévoyent et affolent. C'est ainsi, pour avoir envie de lire *Le Pont de Londres,* qu'on cherchera, par exemple aux pages 307, 308 et 309, un des plus beaux morceaux qui se puissent lire ici : le Céline fou, tendre, déchiré, presque rien — l'évocation d'un bistrot de marins et de voyous, des bateaux dans le port — mais une poésie truculente et désespérée dont l'écho, seulement l'écho, qui passe parfois sur ce livre, nous fait quand même un devoir de le lire.

Renaud Matignon

[*Le centre de l'œuvre, mais aussi la rupture, la faille*]

Derrière *Le Pont de Londres,* il y a le *Voyage* et *Mort à crédit.* Devant, *D'un château l'autre* et *Nord.* C'est dire l'intérêt de cette lecture, qui surprend l'écrivain face à lui-même et à son œuvre, comme un visage entre le rêve et l'éveil.

Dans l'esprit de Céline, *Le Pont de Londres* faisait suite à *Guignol's band.* La grande mythologie célinienne est encore là tout entière, Bardamu sauvé des eaux, noyé vivant, voyageur fou titubant du grand naufrage universel, le rire libérateur et angoissé, l'idée rassurante de la farce, et le thème du voyageur, de la fuite, de la bête blessée dans un monde vertigineux dont rien n'a résisté. En contrepoison, face au grouillement des prostituées et

RENAUD MATIGNON, « Céline », *in Mercure de France* [Paris], juillet 1964.

au vacarme des fous, douceur unique, Virginia, figure de fable, visage stylisé de religion primitive, comme ce pont, terre promise où s'engage à la fin le livre. Très beau livre encore, avec d'étonnants morceaux de bravoure, d'extra-ordinaires explosions des objets et des mots où se désin-tègre et se refait le monde, et où le génie de Céline mani-feste le processus même de son pouvoir d'invention.

Le style est celui du paroxysme, du cri. C'est Heming-way, je crois, qui a dit un jour à un journaliste : « Celui qui crie ne sera entendu qu'une fois. » C'est par là que *Le Pont de Londres,* qui marque le centre de l'œuvre de Céline, en montre aussi la rupture, la faille. Déjà Céline enfermé dans sa propre esthétique est conduit, quand le cri, ayant perdu son objet, devient impossible, à feindre le cri. Rien d'autre ne sépare la révolte du rabâchage. A cet égard, tout remonte au *Voyage.* Céline a fondé une œuvre sur un livre qui est un aboutissement : dans ce triomphe du *non* absolu, il y a comme un adieu à toute œuvre, à tout langage possible, par quoi tout à la fois est fondé et à jamais rendu impossible l'exercice total moins d'un langage que d'une parole. Par essence, ce style est insoutenable. Il a fallu le soutenir. Sa force était d'être une respiration. Ce sera aussi sa faiblesse : que le souffle lui manque, c'est l'asphyxie. Il faudra aller plus loin dans la destruction et le refus — ou faire semblant : peu à peu tout défaire, s'installer dans ce monde déjà détruit qui ne peut plus exploser, qui n'a plus maintenant qu'à se décomposer lentement. Cette littérature de la décomposition alors aboutit à une décomposition de la littérature. Entre le *Voyage* et *Nord,* il y a ce qui sépare le style de sa caricature — le ton. C'est dans *Le Pont de Londres* que les mots se cassent, n'agissent plus, cessent d'atteindre et ce qu'ils désignent et celui auquel ils sont destinés, ne fonctionnent plus. Après, c'est le Céline inar-ticulé, muré dans son cri comme dans le silence, étouffé par sa propre voix, qui s'acharne sur ces phrases comme un prisonnier sur les murs de sa cellule. Il peut bien nous émouvoir, il n'est plus capable de nous *toucher.* Nous sommes devenus l'obstacle qui lui renvoie sa propre parole. Nous ne pouvons plus rien pour lui.

Rien n'est plus pathétique que cette œuvre qui laisse voir ainsi sa déchirure. Parce que rien n'est plus pathétique que ce destin, qui se contient tout entier. Ce qui est en jeu ici, ce n'est pas seulement le livre suivant. C'est le caractère même d'une œuvre, c'est une sensibilité, c'est une mort : de cette mécanique déréglée, tout s'ensuivra, jusqu'aux attitudes politiques, jusqu'aux contradictions, jusqu'à la solitude irrémédiable d'un esprit qui, acculé à sa propre négation, assume sa fatalité avec une rigueur, avec un courage exemplaires. Le style, c'est l'homme? Davantage. Le style, ici, fait l'homme. Il commence par inventer, c'est le *Voyage*. A partir du *Pont de Londres,* il est figé, il précède l'œuvre. Il *est inventé.* Mais il se venge : il détermine, il conduit tout ce qui reste d'une œuvre, d'une vie même. Comme privé désormais de l'usage normal de la communication, Céline ne peut plus qu'enchérir sur sa propre malédiction, forcer, blasphémer, noircir, à mesure même de l'innocence de son rêve — douceur d'un visage, tendresse, rêve de paix, et d'une parole enfin reçue — qu'enferme à jamais la rigueur de cet univers où le cri et l'aphasie se rejoignent dans l'inaudible.

Yves Bertherat

[*C'est l'irruption du verbe dans l'histoire quotidienne*]

Le hasard d'un manuscrit retrouvé nous livre un grand roman célinien, de la veine et de l'importance du *Voyage* et de *Mort à crédit. Le Pont de Londres* est la seconde partie de *Guignol's band,* dont Céline avait publié hâti-

Yves Bertherat, « L.-F. Céline : *Le Pont de Londres* », *in Esprit* [Paris], juillet 1964, © *Esprit.*

vement un fragment en 1944, « au moment où montent les ombres, où bientôt il faudra partir... » Composé entre 1937 et 1944, c'est donc un ouvrage de la pleine maturité, celui d'un homme parvenu à la maîtrise de son art. Il existe un bonheur de l'écriture : ce moment où la vérité et l'aisance de l'expression ne se distinguent plus de l'ampleur visionnaire, donnant à l'œuvre la présence d'un objet de nature aussi irrécusable et subjuguant que l'océan, l'arbre ou la montagne. Ce bonheur, figure de la joie créatrice — bonheur des *Illuminations* chez Rimbaud, de *Vents* ou d'*Amers* chez Perse, du *Partage de midi* chez Claudel — nous l'éprouvons en lisant ce livre. S'agissant de Céline, est-il possible de parler de bonheur? Oui, dans la mesure où l'œuvre d'art la plus amère contient en elle, si elle est grande, l'étincelle d'une joie, la source d'un plaisir d'être.

Pourtant nous entendons ici, tenu de la première à la dernière ligne, le cri célinien, ce hurlement de bête blessée, solitaire, furieuse, injuste, et clamant pourtant sa soif de tendresse et d'innocence. Ferdinand, trépané, un bras atrophié; fuyant la France avec sa peur et ses médailles de héros, chez les prostituées de Soho, sous la houlette paternelle de Cascade le souteneur, n'en finit plus de revivre le cauchemar de la guerre. Coupable et victime, il n'a de cesse d'avoir reconstitué autour de lui un monde à l'image de cet instant où il a donné et reçu la mort. On se souvient, dans *Guignol's band,* du meurtre du bijoutier Van Claben, perpétré dans une atmosphère de cauchemar sadique, et dont nous ne savons pas au fond qui l'a commis, de Ferdinand ou de Boro, sous les hurlements rituels de Delphine, dérisoire lady Macbeth. *Le Pont de Londres* est le récit des efforts de Ferdinand pour enfouir ce meurtre et échapper à ses conséquences. La fugue, le voyage est un des grands remèdes céliniens. Dans son errance, l'enfant coupable rencontre Virginia, et l'histoire d'amour que nous entendons alors, Céline seul pouvait nous la conter. Ferdinand sent bien que Virginia est la seule médiatrice capable de lui ouvrir les portes du ciel, d'un monde autre que celui que la guerre et sa faute lui imposent. Mais autour du couple, c'est la conspiration du présent et du passé. D'autrefois surgissent les peurs et les privations, les crimes de Ferdinand. Il ne peut approcher Virginia sans que se glissent entre elle et lui sa méfiance d'âme écorchée et sa honte. Le présent — les autres : Sosthène, le Colonel, Cascade, les prostituées, la ville de Londres — le prend dans son réseau de miroirs déformants, lui renvoyant sans cesse l'image inverse et terrifiante du jeu innocent qu'il croit mener. Derrière l'amour veille la mort, l'érotisme le plus pur ne peut s'achever que dans la fureur iconoclaste et le sadisme : à l'aube d'une nuit orgiaque au Touit-Touit club, véritable ballet d'Éros et Thanatos, Ferdinand viole Virginia. La pluie éternelle qui semble alors noyer le Port de Londres est impuissante à laver leurs larmes mêlées d'amour, de douleur et de colère. Car Céline ne nous dit pas que l'amour est impossible mais, amèrement, nous rappelle qu'il tient aussi de la violence et de la mort.

Les autres, ce seront encore ceux qui retiendront Ferdinand lorsqu'il voudra repartir, avec ou sans Virginia, qui attend un enfant. A la nuit orgiaque du viol correspond comme le volet d'un diptyque analogique la scène où, au milieu d'une ronde forcenée de prostituées et de matelots autour de Virginia, Cascade, le paternel souteneur, fait jeter aux pieds de Ferdinand le cadavre de Van Claben, seule pièce à conviction de son crime, le mettant ainsi à jamais à l'abri des poursuites policières. Ferdinand désormais peut aimer Virginia et, quittant le Bas-Port où dansent toujours à la lueur des explosions Cascade et ses dames, franchir avec elle le Pont de Londres.

On pourrait étudier minutieusement le rythme de cet ouvrage, et jusqu'à son mètre, parfaitement concerté et minutieusement agencé. Le langage frappe ici comme l'éclair, révélant et figeant la ville et ses habitants, à l'image des fusées de la D.C.A. illuminant les Zeppelins. Le temps du roman est celui de la guerre, du cataclysme, du spasme de la mort violente. Après l'alerte et les bombes, ce n'est pas la vie qui recommence, ouverte sur son avenir, mais un entracte avant la prochaine pluie de feu et son ballet frénétique. Il n'y a jamais de fin aux romans céliniens, la dernière ligne n'indique qu'une syncope. Au fond, ce qu'on appelle le délire, le cauchemar, l'enfer célinien, c'est l'irruption du verbe dans l'histoire quotidienne. Comme la trame d'un tissu, le réel demeure lisible. Mais sous le soleil venu de l'arrière-monde, sous cette lumière où toutes choses prennent leur sens éternel et nous convoquent, le tissu dévoile la figure d'un monde furieux où l'homme est seul, face à l'homme. Céline se sert du langage comme d'un projecteur qui ne consent à prêter sa lumière aux êtres que pour les abandonner à leur solitude après les avoir fait flamboyer l'instant d'un regard. Il n'a jamais su que l'arme dont il se servait portait aussi la promesse d'une rencontre, l'espoir d'une délivrance.

Jacques Valmont
[*La sensibilité d'un écorché*]

Ce n'est pas un roman mais une chronique, la narration, coupée de mille incidents, des pérégrinations de Céline à travers l'Allemagne livrée à toutes les fureurs de la guerre, à l'heure où s'écroulait le IIIe Reich. « Après notre départ de Paris au printemps 44, confiait récemment à un journaliste Lucette Céline, nous nous sommes arrêtés à Baden-Baden. Ensuite nous avons parcouru en zigzag l'Allemagne à feu et sang, à la recherche d'une sortie tantôt vers la Suisse (Sigmaringen) tantôt vers le Danemark, via Berlin. C'est ça le « rigodon », un pas en avant, un autre en arrière. Nous l'avons dansé pendant une quinzaine de mois... »

Avec ce rigodon, se termine la trilogie commencée avec

Jacques Valmont, « Céline : *Rigodon* », *in Aspects de la France*, hebdomadaire de l'*Action française* [Paris], 13 mars 1969.

D'un château l'autre en 1957, continuée par *Nord* en 1960. *D'un château l'autre* nous transportait de Sigma-ringen à Copenhague, *Nord* évoquait la fuite à travers Berlin en ruine et la campagne prussienne écrasée de bombes, au lendemain de l'attentat manqué du 11 juillet 1944. Dans ces deux livres nous retrouvions Louis-Ferdinand, sarcastique et véhément, boitillant sur ses deux cannes, Lili, sa femme, attentive et discrète, l'acteur Le Vigan, dit La Vigue et, dormant au fond de sa musette, le « greffe », le chat Bébert, indifférent et philosophe.

Aujourd'hui, les quatre fugitifs repartent d'où *Nord* les avait laissés, faisant, sans succès, une première tenta-tive du côté de la frontière danoise et poursuivant ensuite un voyage hallucinant à travers les villes détruites et les gares bombardées, de Rostock à Berlin, de Leipzig à Ulm, à Hanovre, à Hambourg, à Flensbourg pour fina-lement arriver au but de leur marche épuisante, Copen-hague. Entre-temps la troupe a perdu Le Vigan mais s'est grossie d'une quinzaine de gosses abandonnés.

[...] Il arrive à Céline de transposer, de fabuler. Son entre-tien avec von Rundstedt, par exemple, paraît tout à fait invraisemblable. Il a des excuses. La vie qu'il mena pendant ces mois-là dut être harassante et l'on comprend bien qu'il n'ait pas eu le loisir de tenir un carnet de route. En outre, au cours du bombardement de Hanovre, Céline reçut une brique sur la tête et sa mémoire, depuis, lui joue de mau-vais tours :

C'est dans les voyages bric et broc que vous êtes forcé de bien faire gaffe, que vous laissez plein de monde disparaître, pour un oui, pour un non... que c'est miracle même de se sou-venir... Plaignez le pauvre chroniqueur.

Aussi bien le désordre, la confusion de cette narration ne sont pas gênants. Céline n'a pas entrepris d'écrire l'histoire du IIIe Reich à l'agonie, mais de faire revivre quelques-unes des scènes apocalyptiques auxquelles il lui fut donné d'assister. Son voyage à travers l'Allemagne nazie emportée dans un déluge de feu et de sang lui en fournit d'abondance, où l'absurde le dispute à l'horrible. C'est dans la gare d'Anhalt un train pris d'assaut par une foule démente, c'est la panique qui s'empare de la foule des voyageurs d'un convoi bloqué sous un tunnel par un bombardement. C'est l'incendie de Hanovre sous les bombes au phosphore d'où Céline tire des notations de peintre qui font penser au ballet des petites filles de *Guignol's band :*

> ... je vois, il ne reste pas beaucoup de maisons debout... plus? moins qu'à Berlin? Pareil je dirais mais plus chaud, plus en flammes et des flammes en tourbillons comme plus haut... plus hautes, plus dansantes... Vertes... roses... entre les murs... J'avais jamais encore vu de telles flammes... ils devaient se servir maintenant d'autres saloperies incendiaires... Le drôle c'était que sur chaque maison croulée, chaque butte de décombres les flammes vertes roses dansaient en rond... et encore en rond!... vers le Ciel!... il faut dire que ces rues en décombres verts... roses... rouges autrement plus gaies, flamboyantes faisaient en vraie fête, qu'en leur état ordinaire, briques revêches mornes... ce qu'elles arrivent jamais à être, gaies, si ce n'est par le chaos, soulèvement, tremblement de la terre, une conflagration que l'Apocalypse en sort!

D'autres pages aussi saisissantes que celle que je viens de citer longuement évoquent Hambourg écrasée sous les bombes et devenue une ville souterraine, avec ses magasins éventrés ou encore l'attaque du canal de Kiel par des avions britanniques. Ce sont là sans doute les sommets de ce livre qui s'égalent aux plus tragiques évocations de *Nord* ou *D'un château l'autre.* Cela n'est pas écrit? Cela est sans syntaxe et sans style? On me rapporta un jour le mot d'un écrivain aujourd'hui disparu : « Céline? Ce serait très bien s'il écrivait comme tout le monde... » Mais justement Céline écrit comme seul Céline peut le faire et rien ne peut donner cette impression de l'écroulement d'un monde comme cette syntaxe anarchique, d'une incohérence étudiée, comme ces phrases haletantes, coupées de points de suspension, rythmées par les pulsations d'un cœur affolé.

Il ne faudrait pas croire, cependant, que Céline ne se retrouve que dans ces visions apocalyptiques. Il garde le sens de l'humour, un humour sarcastique et sombre; traversant Sankt Pauli en ruine, il évoque le souvenir heureux des ports jadis fréquentés, Chatham Rochester, Stroude

surtout le samedi soir, toutes les garnisons « quartier libre » et navires à quai, troupes équipages en bordée franche... et je vous dis, de ces uniformes, du bleu foncé à l'écarlate, du jaune citron au réséda... la grandiose palette de l'Empire... ce quai du samedi l'énorme Rochester Chatham titubant de couleurs et de whisky... de grivetons et de gabiers plein gueulants, pugilats défis...

Il garde dans sa démesure un côté humain. Il n'est pas tendre, il méprise l'humanité tout entière mais plus encore que colère et mépris, il a pour les hommes une immense pitié. Un des épisodes les plus émouvants de *Rigodon* c'est la rencontre de Ferdinand et de Lili avec une jeune française, Odile, qui a la garde d'une quinzaine d'enfants abandonnés et qui, phtisique et crachant le sang, incapable de poursuivre sa route et de s'occuper de son misérable troupeau, le leur confie... Et voilà Céline clopant sur ses deux cannes et voilà Lili qui tient toujours dans sa musette le chat Bébert, les voilà tous deux à la tête d'une petite troupe d'avortons baveux qu'ils sauveront et auxquels ils réussiront à faire passer la frontière à bord d'un train de la Croix-Rouge suédoise :

Un anarchiste, écrit Céline, ça peut savoir aussi ce qu'est un devoir...

Voilà du meilleur Céline, ce révolté a la sensibilité d'un écorché, il est injuste et plein d'invectives démesurées mais il partage les souffrances des innocents, des enfants et des bêtes.

La narration de *Rigodon* est, je l'ai dit, coupée d'incidentes qui, des routes d'Allemagne, nous ramènent au pavillon de Meudon où le romancier écrit sa chronique. Elles évoquent les visites que lui font, pendant qu'il tra-

vaille, des journalistes en mal d'interviouves. Céline y
donne libre cours à son humeur, à ses rancœurs. Il règle
leur compte aux Goncourt, à Roger Vailland, à Jean-Paul
Sartre, à d'autres qu'on ne s'attendait pas à trouver en
cette compagnie et ces invectives sont plus sensées que ne
le laisserait supposer l'outrance de la forme. Céline y déve-
loppe aussi quelques-uns de ses thèmes favoris, le métissage qui est en train de détruire la race blanche, la fin
prochaine de notre civilisation : « On verra, je vous
assure encore bien plus chouette... les Chinois à Brest, les
Blancs au pousse-pousse, pas tirés! dans les brancards!...
que toute cette Gaule et toute l'Europe, les yites avec,
changent de couleur, qu'ils ont bien assez fait chier le
monde... »

Ainsi, voici cinquante ans, Léon Bloy attendait « les
Cosaques et le Saint-Esprit ». Céline n'attend pas le
Saint-Esprit mais la fin d'une civilisation qu'il souhaite
et redoute tout à la fois.

Danse burlesque et macabre *Rigodon* n'a peut-être pas
la puissance tragique de *Nord*. C'est néanmoins un livre
hors de toute commune mesure et l'on placera la trilogie
qui prend fin avec lui sur le même rayon que le *Voyage* ou
Mort à crédit. Non loin de Rabelais qui, comme Céline,
créa une prose française qui n'appartient qu'à lui, non loin
du vieil Agrippa comme lui sombre jusqu'à la déraison.

Jean-Guy Rens
Voyage n° II

[...]

Avec *Rigodon* voici donc le dernier volet de la trilogie
consacrée par Céline à ses avatars de 1944-1945. *D'un
château l'autre* présentait la vie des exilés de Sigmaringen,
Nord nous emmenait vers une Prusse orientale en proie

Jean-Guy Rens, « Voyage n° II. *Rigodon* par L.-F. Céline », *in La
Revue de Belles-Lettres* [Genève], n° 1, 1971.

à de véritables hordes incontrôlées de Polonais, Ukrainiens, objecteurs de conscience, romanichels et vagabonds divers. L'action de *Rigodon* au contraire ne s'enracine en aucun lieu. Tout au long du livre, de Moorsburg à Warnemünde, puis en sens inverse de Warnemünde à Sigmaringen en passant par Berlin et Ulm, puis de Sigmaringen à Oddort, Hambourg et enfin Copenhague, malgré les détours et les contretemps, Céline relate sans marquer d'arrêts sa fuite vers le Danemark à travers l'agonie du IIIᵉ Reich. Voici un livre dont l'axe est le train, une succession de trains antédiluviens, misérables, qui n'avancent pas, qui se traînent de gares détruites en plaines ravagées, à travers les bombardements et les foules affamées qui veulent partir... Partir où? Vers l'ouest, le sud? A chacun sa marotte. Céline, lui, c'est le nord, le Danemark où il a mis ses économies. Accompagné de sa femme Lili, de Bébert le chat et de La Vigue (l'acteur Le Vigan qui d'ailleurs *trahira* a un moment donné pour le Sud, Rome), Céline retrouve sa vieille passion du *voyage.*

Retour au *voyage*... Tel est à notre avis la clé de la réussite littéraire que constitue ce livre. Chez Céline le *voyage* est une aventure signifiante qui possède une dimension philosophique. *Voyage* = homme traqué. Mais si l'homme est traqué c'est que le monde est mauvais. Il y a un mythe du *voyage* chez Céline. Et tout son art vise à cette représentation de l'homme en fuite. L'aspect saccadé du rythme de Céline est le mouvement même du voyage et son style n'acquiert sa pleine efficacité qu'avec la peinture de ce mouvement.

Voyage au bout de la nuit, Rigodon : la boucle est fermée. Céline est revenu à son point de départ. Avec en plus : un style entièrement refondu et une toile de fond d'une mesure telle qu'aucun écrivain depuis Homère n'en a eue à sa portée.

Le style de Céline a en effet considérablement évolué depuis la phrase ordonnée à plusieurs propositions et adjectifs multiples du *Voyage au bout de la nuit.* Dès *Mort à crédit* la syntaxe s'est foudroyée, l'argot est venu au secours d'un français jugé châtré par près de quatre siècles de classicisme. Les célèbres trois points ont remplacé les conjonctions et autres artifices de liaison. Dès *Bagatelles pour un massacre* le néologisme (tragédique, agonique, djiboukerie) et l'outrance *myriakilogrammique* deviennent des éléments importants de ce nouveau style. Avec *Guignol's band* apparaissent les premiers délires céliniens, pages entières où les mots semblent s'appeler les uns les autres sans aucun souci apodictique. Mais chaque livre corrige les maladresses du précédent. Par exemple l'argot est bien moins utilisé à partir *D'un château l'autre*. Les gargarismes sonores de mots, si fréquents dans *Le Pont de Londres* disparaissent également avec la trilogie sur la guerre. Au terme de l'aventure linguistique de Céline, surgit un langage neuf mais dépouillé de toutes les imperfections ou exagérations qui avaient accompagné son façonnement.

Seulement cette langue au suc renouvelé, à la violence rajeunie, à la verdeur retrouvée, ne devait-elle pas apparaître comme disproportionnée par rapport aux étroites tracasseries de la faune londonienne de *Guignol's band*? A ce propos, l'on pourrait poser la question de savoir jusqu'à quel point la démesure des pamphlets antisémites résultait d'une nécessité syntaxique? De par les passions qu'il soulève l'antisémitisme était une matière privilégiée pour le langage célinien. Chez Céline comme chez bien des artistes le thème politique est un moyen de charger la phrase d'affectivité, de dramatiser le verbe. Céline pouvait considérer que la tragédie éparse dans son temps était un aliment de premier choix pour roder son style. Comment comprendre autrement la frénésie de ce genre de passage : *By gosh! Vive le Roi! Vivent les Lloyds! Vive Tabure! Vive la Cité! Vive Madame Simpson! Vive la Bible! Bordel de Dieu! le Monde est un lupanar juif*[1]*!* L'exercice de style paraît évident, la provocation aussi. Si cela blesse

---

1. *Bagatelles pour un massacre*, Denoël, p. 126.

tant pis, de toutes manières Céline sera le premier atteint. Il le sait. Il compte ainsi provoquer l'événement. Or l'instrument stylistique ainsi élaboré ne trouvera d'usage pleinement justifié qu'avec l'apparition de thèmes à sa mesure.

Ce renouvellement des thèmes céliniens, la Seconde Guerre mondiale le provoquera en faisant basculer dans le monde réel l'univers onirique du *Voyage au bout de la nuit.* D'abord le sujet : Bardamu, ombre fuyant ses rêves, se trouve irrésistiblement surclassé par Céline en chair et os, pourchassé et persécuté pour des raisons bien réelles. Céline l'homme a rejoint et pris la place de l'image romanesque qu'il avait imaginée dès les années 30, celle de l'individu aux prises avec une société hostile qu'il ne peut ni comprendre ni maîtriser.

Le mythe du *voyage,* l'individu en proie à un instinct insurmontable de tout lâcher, de tout abandonner à intervalles réguliers, tout cela est devenu en 1944 une réalité impérieuse. L'*infanta combitta,* la fabuleuse galère fantôme du *Voyage au bout de la nuit,* se mue en ce train bien réel de la débâcle allemande : *cinq... six wagons... tout hérissés vous diriez par tout ce qui dépasse... cent bras, cent jambes... et des têtes!... et des fusils* [1] *!... Le train traversait la bouillie du Reich* commente Dominique de Roux [2]. Surtout il ramène Céline dans le monde de la matière. La conscience malheureuse fait place à la souffrance vécue dans la chair et dans les nerfs. La défaite allemande, la chasse aux vaincus : nous sommes vraiment très loin des galères surréalistes de Bardamu.

Quant à la toile de fond de ce nouveau *voyage,* c'est peut-être elle qui subit la plus profonde métamorphose. En lieu et place des campagnes flamandes de la première guerre, des scènes de la vie coloniale, des États-Unis ou de la ban-

1. *Rigodon,* p. 48, Gallimard.
2. *La mort de L.-F. Céline,* Dominique de Roux, p. 144, Christian Bourgois.

lieue parisienne, voici l'apocalypse wagnérienne de l'Allemagne hitlérienne. Le Reich millénaire : *une mer de flammes!* [...]

Ainsi d'un *voyage* à l'autre le récit s'est incarné, ou historicisé, comme l'on préfère. La démarche littéraire et morale est inversée. Il n'y a plus de Céline écrivain qui invente Bardamu martyr de l'humanité et s'efforce de coller à son personnage; mais bien un héros moderne promu par l'Histoire au rôle de marionnette de *comics* et qui s'efforce d'exorciser son aventure en la fixant dans une énorme caricature. Il décide d'être Joinville racontant Saint Louis *Grand Guignol*. Mais Saint Louis c'est lui-même. Alors Céline tente de fuir sa création littéraire, de se fuir. Il creuse un fossé entre le personnage qui s'agite dans les décombres de Berlin et l'anonyme docteur de Meudon qu'il prétend être. Régulièrement, chaque deux ou trois chapitres, au milieu des vestiges de l'Allemagne, le train de *Rigodon* s'évanouit pour laisser place au banliusard sarcastique qui explique à qui veut l'entendre la fin du monde : *les Chinois à Brest, les Blancs au pousse-pousse, pas tirés! dans les brancards!...* Ce dédoublement, ces digressions qui dès *D'un château l'autre* ont dérouté plus d'un de ses biographes, ne sont que le refus du bonhomme Céline de faire corps avec le personnage qu'il est devenu. Cela ne l'empêchera pas de laisser dans la littérature l'image du conteur de l'agonie de l'Allemagne... Notons à ce propos l'ironie qui a voulu que l'apothéose apocalyptique du rêve pangermaniste ne trouve qu'un écrivain français pour recueillir ses derniers et méprisables éclats.

Mais la richesse de *Rigodon* tient également à ce qu'on y retrouve tous les phantasmes de l'auteur. Et en premier lieu celui qui est à l'origine du mythe célinien du *voyage*, c'est-à-dire le complexe de persécution. Rappelons-nous cette scène spectaculaire du *Voyage au bout de la nuit* où, dans une fête foraine déserte, devant le stand de tir, Bardamu s'imagine tout à coup qu'on le prend pour cible : *Sur moi aussi qu'on tire Lola! que je ne pus m'empêcher de lui crier* [1]. Puis au restaurant, à l'hôtel, dans sa chambre, partout l'impression le poursuit... Comme on le voit, d'emblée, dès son premier livre, le héros se pose imaginairement comme traqué et se définit existentiellement comme un fugitif : deux moments caractéristiques du complexe de persécution.

A partir de la guerre et après l'explosion antisémite des pamphlets, point n'est besoin pour Céline de motivations subconscientes et d'affabulations romanesques. Il appartient désormais historiquement au clan des persécutés. Ce qui est intéressant dans *Rigodon* ce ne sont donc pas les doléances facilement explicables sur sa situation réelle, mais les anecdotes caractéristiques de ce qui paraît bien être une psychose de la persécution.

Ainsi cette course éperdue à travers Hanovre, derrière un chariot sur lequel trône un Anglais paralysé, aux côtés d'un Italien cherchant *soun pâtroun,* de sa femme Lili et de quelques autres encore, et tous poursuivis par une meute hurlante traînant à sa suite d'autres chariots menaçants... Céline sautillant au rythme de ses béquilles commente de son style haché : *L'alerte en somme... qu'ils nous coursent pas pour des caresses!... cinq... six chariots... pas du rêve* [2] *!*

Dans les œuvres précédentes nous avions eu droit à des scènes d'émeute où la foule révoltée se précipite sur l'individu solitaire. Souvenons-nous de l'émeute contre l'ahurissant Courtial des Pereires dans *Mort à crédit,* de la furie des prostituées anglaises dans *Le Pont de Londres,* ou encore de Laval affrontant la jacquerie des Allemands de Sigmaringen dans *D'un château l'autre.* Les peintures de foules déchaînées abondent chez Céline. Chacune plus féroce, inhumaine, immodérée. La révolte des gueux dans *Notre-Dame de Paris* ressemble à un exercice de style formel face à ces explosions populaires aussi irrationnelles que violentes. Et tandis que les manants de Hugo sont stoppés sur le parvis de la cathédrale ne serait-ce que par la retenue

1. *Voyage au bout de la nuit,* p. 64, Le Livre de poche.
2. *Rigodon,* p. 170.

du langage, ceux de Céline brisent la porte chaque fois, font valser les mots et voler la phrase en miettes...

Ce qui est particulièrement révélateur dans la course de chariots de *Rigodon* c'est d'abord le mouvement de poursuite. Puis surtout son aboutissement : un balcon effondré barre la rue, les fugitifs sont bloqués, ils sont sur le point d'être rattrapés par la horde des poursuivants... Un mouvement de fuite suivi d'une soudaine paralysie, une course qui finit dans le piège d'une impasse imprévue, n'est-ce pas là l'image-type de l'angoisse de persécution qui vient de surgir au hasard du récit?

Autre vision familière de l'univers célinien : la tête fêlée. Dans le *Voyage au bout de la nuit* la blessure de guerre de Bardamu reste dans le vague. Après les quelques tableaux du début de la guerre nous le retrouvons sans préavis dans un hôpital, en convalescence. De quel genre de blessure souffre-t-il? On n'en sait rien. Cependant deux phrases à la fin de l'intermède militaire sont peut-être la première esquisse de ce qui deviendra par la suite un leitmotiv : *Sans chiqué, je dois bien convenir que ma tête n'a jamais été très solide. Mais pour un oui, pour un non, à présent, des étourdissements me prenaient, à en passer sous les voitures* [1]. A partir de la deuxième guerre mondiale, Céline multiplie les allusions à cette blessure au crâne. Ainsi ce dialogue de *Guignol's band* paru en 1944 : — *Et ta tête? C'est une balle alors que t'as reçue?... — Oh! une toute petite* [2] *!...* Et bien sûr dans *Rigodon* où il parle *de ce gnon entre le crâne et le cou... d'aussi plus haut vers l'oreille gauche... pas troubles illusoires, constatés très médicalement, avec deux... trois contre-expertises... dès 1916* [3]. Ses commentateurs s'y sont laissé prendre au point d'attribuer une partie de son génie à ce choc, témoin ce portrait de Céline par Lucien Rebatet : *un beau gars, mais grand blessé de guerre (la fêlure de ses bouquins)* [4]*...* Certains *ont même voulu faire des célèbres points de suspen-*

---

1. *Voyage au bout de la nuit*, p. 105.
2. *Guignol's band*, p. 272, Le livre de poche.
3. *Rigodon*, p. 174.
4. *Les Cahiers de l'Herne*, Céline, n° 1, p. 43.

sion une séquelle littéraire de cette blessure à la tête... Or maintenant nous savons que Céline n'avait jamais été blessé à la tête durant la première guerre mondiale. Il avait bien été blessé, mais c'était à l'épaule, ce qui lui avait laissé une légère paralysie de la main pour le restant de ses jours.

Cependant au cours de *Rigodon* Céline récidive. Il avoue une seconde blessure à la tête, au cours d'un bombardement aérien, à Hanovre. Et cette fois le choc est invoqué par Céline lui-même pour servir d'alibi à toutes ses faiblesses, trous de mémoire, hallucinations. L'évocation du coup reçu revient sans cesse, page après page, jusqu'à satiété :

c'est la brique qui m'a attrapé entre tête et cou [1]...; avant que cette brique m'atteigne, m'ébranle, je n'avais pas de soucis [2], résumons : ce coup de brique ne m'a pas arrangé [3]...;

et ainsi de suite jusqu'à la fin du livre.

Cette seconde blessure à la tête [4] est-elle aussi imaginaire que la première? Au fond la réponse n'a guère d'importance. Que nous importe la vérité objective? De toutes manières restera l'image de la tête fêlée. Or Céline attire notre attention sur le handicap que cela lui procure dans la vie et surtout sur la difficulté d'écrire, de se souvenir... *plaignez le pauvre chroniqueur.* Céline prétend ne rien inventer de ce qu'il écrit. Il tente de nous convaincre en attribuant ce que sa vision a de syncopé et de bouleversé à une fêlure de son esprit [...]

La fêlure du crâne célinien apparaît également comme une nécessité. Nécessité de l'époque : l'Europe fracassée sous les bombes ne saurait être décrite par un simple voyeur. Question de pudeur. Un engagement physique

1. *Rigodon*, p. 172.
2. *Rigodon*, p. 177.
3. *Rigodon*, p. 183.
4. En fait suivie d'une troisième, à Hambourg. Là c'est un magasin qui se déverse sur sa tête : « ...et toute la camelote! ma tronche! vous direz : il le fait exprès... non! comme pour la brique... non! une fatalité ma tête!... j'ai la grosse tronche mais quand même... » *Rigodon*, p. 239.

s'impose. Par ce crâne abîmé Céline participe charnelle-
ment aux coups qui blessent les villes allemandes. *Alors
j'ai mis ma peau sur la table...* confie-t-il lors d'une interview à Louis Pauwels et André Brissaud.

Nécessité esthétique aussi, peut-être. Lorsque Céline
nous avertit lui-même qu'il ne photographie pas la réalité :

> les chaumières me semblent devenues assez artistes... des
> deux côtés du paysage... je dirais elles font tableaux, elles
> penchent et gondolent... surtout les cheminées... c'est une vision,
> c'est un style... oh, ma tête y est pour quelque chose certaine-
> ment![1]...

Par ces mots Céline semble accepter le fameux jugement
de Gide :

> Ce n'est pas la réalité que dépeint Céline; c'est l'hallucination
> que la réalité provoque[2].

Seulement la partie hallucinatoire du récit doit être
attribuée à une cause objective et neutre : la blessure. Au
milieu des ruines sanglantes de 1944, Céline refuse de
s'avouer esthète. [...]

Autre phantasme de l'univers célinien : le métissage, ou
même seulement le désordre racial. Au moment de ses
pamphlets antisémites (parus entre 1937 et 1941), Céline
prétendait n'attaquer que le *racisme juif : J'ai rien de
spécial contre les Juifs en tant que juifs, je veux dire simplement
truands comme tout le monde, bipèdes à la quête de leur soupe...*[3]
Bien sûr tout le reste des pamphlets démentait cette
phrase empreinte de sympathie. Cependant l'on s'aperçoit
vite qu'au-delà de la furie énorme, extravagante qu'il
déchaîne contre les Juifs (et dont nous avions déjà
remarqué plus haut l'insincérité, nous invoquions alors
une logique interne de la langue célinienne), se trahit une

---

1. *Rigodon*, p. 184. Et en lisant ce passage on accepte volontiers
de croire que Van Gogh écrivain n'aurait pu écrire différemment.

2. *La N.R.F.* (n° 295, avril 38), Gide : « Les juifs, Céline
et Maritain. »

3. *Bagatelles pour un massacre*, p. 72.

peur réelle de l'élément étranger que représente le peuple juif. Ce qui inquiète Céline c'est l'imbrication de peuples divers sur le même territoire, la présence d'étrangers. Lorsqu'à partir de la deuxième guerre mondiale le délire antisémite disparaît des écrits de Céline, demeurera néanmoins une méfiance larvée à l'encontre des Juifs. Ce sentiment persistant est le résidu de l'antisémitisme de Céline une fois envolés les grands effets de style des pamphlets. Sans doute la seule chose de sincère qu'il n'y ait jamais eu derrière le bouillonnement d'invectives et de rage : c'est-à-dire une crainte en grande partie irraisonnée de l'Étranger.

Mais si les Juifs sont étrangers, les nègres, les jaunes ou les Arabes le sont encore plus. A partir de la guerre ils catalyseront donc en priorité l'inquiétude de Céline : *l'armée jaune à Brest, l'armée noire à Montparnasse*[1]. Tel est l'avertissement ressassé sans relâche jusqu'à la dernière page de *Rigodon*, sur tous les tons et d'abord le bouffon.

En soi cela ne mériterait pas tellement de retenir notre attention. Seulement il nous apparaît que ce sentiment, irréfléchi en grande partie, issu du trouble du subconscient peut servir à éclairer certaines caractéristiques intéressantes de l'univers célinien.

Ainsi *Guignol's band* et *Le Pont de Londres* nous offrent le spectacle de l'Angleterre durant la première guerre mondiale. Nous pouvons déjà remarquer que Céline semble fasciné par la population hétérogène et bigarrée qu'il a choisi de peindre. Mais c'est surtout avec la fresque sur la déroute allemande de 1944-45 que nous voyons intervenir dans l'univers célinien une liaison instinctive entre le mélange des populations et de la guerre. Spécialement avec *Nord* et *Rigodon* se dégage une sorte de rapprochement entre l'idée de confusion des nationalités et l'idée de guerre, ou plus justement : l'idée de catastrophe. Ce qui le pousse sans doute à déformer quelque peu la réalité. En effet, à travers les tribulations de Céline en Allemagne, les

1. *Rigodon*, p. 39.

Allemands apparaissent singulièrement peu en dehors de quelques militaires ou employés. Par contre ce qui frappe le lecteur, c'est l'abondance des descriptions de ces hordes russes, polonaises, gitanes, françaises, baltes, finlandaises, hongroises et même à l'occasion Céline en rajoute : *moldaves, subpoméranes, laponides et d'encore plus haut...* S'agit-il d'une simple coïncidence? Cela semble fort improbable. L'insistance avec laquelle Céline revient dans sa trilogie sur le fond intertribal, sur le désordre des peuples qui accompagnent la fin du IIIe Reich, semble éliminer l'hypothèse du hasard. Cette concordance n'a sûrement pas été préméditée à dessein, ni voulue. Il s'agit encore moins d'une amorce de thèse quelconque. Tout au plus de l'affleurement imprévu de la mythologie personnelle de l'auteur des *Beaux Draps*. Dans l'univers célinien le mélange des races se devait de figurer sur la toile de fond de l'apocalypse.

Le 1er juillet 1961 il est midi quand Céline annonce à sa femme la fin de *Rigodon*. Le temps d'avertir Gallimard... Il est six heures. C'est le soir, l'heure de la fin du voyage : quelque part dans le cerveau une artère se rompt. La tête pleine de sang *l'albatros ne répond plus* [1]. La tête! *Rigodon*, ce n'était plus une histoire fictive... Mais encore une fois, qui aurait pu continuer à faire de la fiction après les *fours à phosphore* de Hambourg et de Francfort? Promener Bardamu au milieu de l'agonie de l'Europe eût été obscène. Aussi avait-il fallu être plus qu'écrivain, plus que témoin : *pauvre chroniqueur*. Mais avec un souffle de prophète. Et puis il avait fallu tendre la tête aux marteaux de l'Histoire... Tout cela Céline l'avait fait avec un sens païen du sacrifice. Projetant intactes, jusqu'à son dernier souffle, toute sa violence et sa démesure. Ricanant au-dessus des gnomes des temps modernes. Démontrant au monde qui n'en revenait pas que l'humanité est irréductible à la somme des individus qui la composent. Il faut choisir :

---

1. *La Mort de L.-F. Céline*, p. 27.

l'humanisme ou l'individualisme. Les deux ensemble : jamais !

Comme Molière Céline est mort sur la scène. Un instant le mensonge est devenu vérité. Vérité totale, absolue, immuablement objective. Union suprême de l'art et de la vie, mais la vie perd toujours...

[...]

J.M.G. Le Clézio
[*On ne peut pas ne pas lire Céline*]

On ne peut pas ne pas lire Céline. Un jour ou l'autre on y vient, parce que c'est ainsi, parce qu'il est là, et qu'on ne peut pas l'ignorer. La littérature française contemporaine passe par lui, comme elle passe par Rimbaud, par Kafka et par Joyce? Céline appartient à cette *culture* continuellement naissante qui est en quelque sorte le rêve de la pensée moderne.

On vient à lui et pourtant il ne fait rien pour cela. Il ne cherche pas ses fidèles. Il les refuse. Il ne veut pas faire partie de la culture, il a fermé la porte de son univers, et il ricane. Ceux qui s'approchent, il les repousse. Il échappe à tous ceux qui veulent l'enfermer dans la grande machine à classer, à systématiser. Il sait être loin des hommages. Il n'a pas accepté sa sépulture.

Il n'y a chez lui ni haut ni bas, ni entrée ni sortie. Il ne propose aucune forme géométrique, aucun genre, aucun syllabaire. Et cependant, on sait qu'une partie du monde lui appartient. Il est toujours présent dans la mémoire, vrai, entier, exemplaire. Il est toujours en vie.

C'est qu'il est absolument dans la négation. L'idée de la révolte — contre la bourgeoisie, l'argent, l'armée, l'ordre — n'a pas eu le temps de devenir utilitaire. Il l'a

J. M. G. Le Clézio, « Comment peut-on écrire autrement », *in Le Monde* [Paris], supplément au n° du 15 février 1969.

réalisée d'un seul mouvement, où la réflexion n'est pas intervenue. Il n'y a pas de crimes dans la littérature, il ne peut pas y en avoir. Mais il y a l'insulte. C'est ainsi que Céline reçoit ceux qui l'approchent : en les insultant. L'insulte est une des formes premières du langage, qu'elle soit directe :

Chienlits! Frimards! Chancres! Puanteurs! Coloquintes! Volubilis! Hé! Clématites!

ou bien qu'elle se forme au moyen d'une anecdote, d'une image :

Mais réfléchissant, à tout prendre, ma meute me fait bien du tort, certes!... Mais elle me protège des malotrus... Je me méfie des gens qui passent... les inconnus... et les connus! Ils entendent les chiens aboyer... Ils guettaient, ils font demi-tour!... Les assassins aiment pas les risques!... Ils sont plus prudent à vous tuer qu'un bourgeois à acheter ses Suez...

Il s'agit toujours du même acte d'agression qui prévoit le mal et le combat par le moyen d'un autre mal. Langage qui ne cherche pas à séduire de façon linéaire, mais qui procède par une série de coups, langage qui se fonde sur la douleur. C'est par la douleur que Céline échappe à la littérature, qu'il reste pour ainsi dire au-dehors, hors d'atteinte. Il n'a pas joué le jeu. Il n'a pas admis le roman, ni l'histoire. Il n'a pas accepté la société des hommes.

C'est l'insulte aussi, le langage jeté, syncopé, impulsif, où chaque point d'exclamation est une barre sur laquelle se heurte l'intelligence (le point d'exclamation est avant tout l'indice d'un point muet) qui exerce une telle fascination sur nous qui avons été conquis par le langage cohérent. Fascination faite d'horreur, et jubilation faite de peur. Quelqu'un a choisi de rester à l'écart, quelqu'un a choisi d'être témoin.

Le véhicule de cette insulte continuellement hérissée contre nous, c'est un langage en marge, bien entendu. L'argot célinien n'a rien à voir avec celui du roman populiste ou du roman policier. Ce peut être l'argot de la guerre,

comme dans *Casse-pipe* et *Guignol's band*. Mais dans le
Voyage, Mort à crédit, et *D'un château l'autre*, c'est véri-
tablement une *autre* langue qu'invente Céline, un code
secret dont nous sommes délibérément exclus. Avec la fer-
meture du langage, nous devinons le système célinien : le
refus n'est plus seulement une attitude devant le monde, il
est l'invention d'un *autre* monde.

Ce particularisme est effrayant. Mais une fois la barrière
franchie (et pour cela nous devons abandonner toute
prétention au jugement), nous voici inventés par le système. Celui qui a lu le *Voyage*, et surtout l'extraordinaire
Mort à crédit, celui qui les a vécus, le voilà soumis aux
règles de l'univers célinien : comment peut-on écrire autrement ? Comment fuir la brûlure de ce regard, comment
fuir la monstrueuse férocité du monde ? Céline est de ceux
qu'il faut oublier pour pouvoir vivre.

[...]

CHRONOLOGIE [1]

1894. 27 mai : naissance à Courbevoie (Seine) de Louis, Ferdinand, Auguste Destouches, fils unique de Fernand, Auguste et de Marguerite, Louise, Céline Guillou.

1895. Est placé en nourrice.

1897. Les parents de Louis s'installent à Paris et déménagent plusieurs fois avant de se fixer, en 1904, au 64 passage Choiseul.

1900. Entre à l'école primaire de la rue Louvois.

1905-1906. Ses parents le retirent de l'école pour l'envoyer à Karlsruhe (Allemagne), puis le réinscrivent dans deux autres établissements.

1907. Octobre : début d'un séjour de neuf mois à Diepholz (Allemagne).

1908-1911. Retour à Paris en juillet 1908 et divers apprentissages dans la bonneterie et la bijouterie. Après un séjour en Grande-Bretagne, en 1909, est engagé chez Lacloche (Paris et Nice).

1912. 28 septembre : engagement de trois ans par devancement d'appel; 3 octobre : classes au 12ᵉ Cuirassiers (Rambouillet); novembre-décembre : rédaction des notes publiées en 1965 sous le titre *Carnet du Cuirassier Destouches*.

1913. Juin : nommé brigadier.

1914. Mars : nommé maréchal-des-logis; 2 août : le 12ᵉ Cuirassiers est sur le Front (Woëvre, puis les Flandres); 25 octobre : au cours d'une mission volontaire est blessé près d'Ypres (fracture ouverte par balle de l'humérus droit), cité à l'ordre de la division; 29 octobre : cité à l'ordre du régiment; 30 octobre : évacué sur Hazebrouck-à-la-Lys; 24 novembre : médaillé militaire; 1ᵉʳ décembre : admis au Val-de-Grâce (Paris); 30 décembre : admis à l'hôpital Paul-Brousse (Villejuif).

---

1. Pour tout ce qui relève de la chronologie bibliographique proprement dite, voir *infra* « Bibliographie. II. Diffusion de l'œuvre imprimée. »

Crédit biographique : J. Boudillet, J. A. Ducourneau, J. François, R. Faurisson, H. Godard, P.-E. Mazet.

1915. 19 janvier : intervention chirurgicale; février : admis à l'hôpital Michelet (Vanves); 24 février : congé de convalescence de trois mois; 16 mars : traitement électrique au Val-de-Grâce; avril : affecté au Secrétariat des Passeports à Londres; 7 décembre : réformé définitif, sans pension.

1916. Janvier : paraît avoir contracté un premier mariage avant de revenir, seul, à Paris; mars : engagé comme surveillant par la Compagnie Forestière Sangha-Oubangui (caoutchouc et cacao); avril-mai : embarquement pour l'Afrique via Le Havre et Liverpool; juin : arrivée au Cameroun via Accra et Lagos, nombreux déplacements à l'intérieur du pays. Les premiers écrits littéraires attestés datent de cette période.

1917. Février : rompt unilatéralement son contrat; mars-avril : admis à l'hôpital de Douala; avril : embarquement pour Liverpool et rédaction d'une nouvelle « Des Vagues »; mai : arrivée à Londres; septembre : retour à Paris où il se lie avec Raoul Marquis, directeur de la revue *Eurêka*.

1918. Février : traduction signée L. Destouches dans *Eurêka;* 10 mars : arrivée à Rennes de la Mission Rockefeller contre la tuberculose (L. Destouches est conférencier, Marquis mécanicien et marionnettiste). Se lie avec les Follet chez qui, à la fin de l'année et après avoir quitté la Mission, il semble s'être installé.

1919. 2 avril : 1re partie du Baccalauréat à Bordeaux (Latin-Langues; mention Bien); 2 juillet : 2e partie toujours à Bordeaux (Philosophie; mention Bien); 10 août : épouse Édith, Amandine, Marie Follet à Quintin (Côtes-du-Nord) et emménagement au 6 quai Richemont à Rennes; novembre : inscription au P.C.N., le Dr Follet (grâce à Georges Destouches, secrétaire de la Faculté de Médecine de Paris et oncle de Louis) est nommé Directeur de l'École de Médecine de Rennes.

1920. 26 mars : obtient le P.C.N.; 1er avril : inscription à l'École de Médecine; 15 juin : naissance de sa fille, Colette; 16 juin : le Pr Follet (toujours grâce à G. Destouches) est nommé Membre correspondant de l'Académie des Sciences; 26 octobre : communication de L. Destouches à l'Académie des Sciences (« Observations physiologiques sur *Convoluta roscoffensis* »).

1921. 7 avril et 22 juillet : obtient les deux premiers examens de Médecine; 18 avril : communication à l'Académie des Sciences (« Prolongation de la vie chez les *Galleria mellonella* »); octobre : fréquente, sans fonction officielle, le laboratoire de Serge Metalnikov à l'Institut Pasteur de Paris.

1922. 1er octobre-16 décembre : stage à la Maternité Tarnier (Paris); 16 novembre : reçu au 3e examen; 5 décembre : autorisé à poursuivre ses études à la Faculté de Paris.

1923. Janvier : stage à la Maternité de l'hôpital Cochin; 15 février et 10 avril : reçu au 4ᵉ examen; 3 mai, 27 et 29 juin : reçu au 5ᵉ examen; 1ᵉʳ juin : début d'une série de remplacements en cabinet.

1924. 1ᵉʳ mai : soutenance de thèse (distinguée par une médaille de bronze le 22 janvier 1925) dont il publie en revue une assez longue contraction; 27 juin : entre à la Section d'Hygiène de la Société des Nations (Genève).

1925. Février-juillet : conduit une mission médicale à Cuba, puis à travers les États-Unis et l'Europe.

1926. Mars-juin : conduit une mission médicale en Afrique. 21 juin : jugement de divorce rendu à Rennes. C'est vraisemblablement cette année qu'il rencontre Élisabeth Craig.

1927. Rédaction probable de *L'Église* et de *Progrès,* une farce demeurée inédite. Au début de l'été, se trouve à Paris dans une situation assimilable à celle d'un congé de licenciement. Son contrat n'est pas renouvelé au 31 décembre.

1928. Ouverture d'un cabinet de médecine générale et infantile à Clichy (Seine). Grâce à l'appui du professeur Léon Bernard, devient vacataire au dispensaire municipal.

1929-1931. Rédaction de *Voyage au bout de la nuit* et publications de plusieurs articles, comptes rendus ou communications dans les revues médicales. Vacation complémentaire au dispensaire Marthe-Brandès et travaux de rédaction pour des laboratoires pharmaceutiques.

1932. Essuie au moins trois refus avant que Robert Denoël n'accepte son roman. Début octobre : mise en vente de *Voyage;* 7 décembre : reçoit le prix Renaudot; vers le 18 décembre : quitte Paris, en pleine querelle du prix Goncourt, pour une mission sans caractère officiel en Allemagne, via la Suisse et l'Autriche.

1933. 16 mars : publication de « Qu'on s'explique... » et déjeuner avec le jury du prix Renaudot; à partir d'avril : annonce et remaniement probable de *L'Église;* mai-juin : déplacements en Europe et rédaction de la préface à *31, Cité d'Antin;* 17 juin : assiste au banquet du « Congrès médical de l'Action française »; août-septembre : séjour à Dinard; 1ᵉʳ octobre : discours à Médan pour le 31ᵉ anniversaire de la mort de Zola.

1934. Mai-août : aux États-Unis; décembre : à Bruxelles.

1935. Mai : à Londres; juillet : à Copenhague. Brève liaison avec la pianiste Lucienne Delforge et rencontre de Lucette Almanzor.

1936. Mai : à Londres; juillet-septembre : périple en Europe et séjour en U.R.S.S.; 2 décembre : création de *L'Église* à Lyon; fin décembre : l'édition originale de *Mea culpa* annonce *Casse-pipe* en préparation (cette mention est confirmée, en novembre 1938, dans *L'École des cadavres,* mais ne réapparaît plus ensuite).

1937. Février : à New York; mai-juin : à Saint-Malo, puis à Jersey.

1938. Janvier : à Anvers; mai : au Canada et aux États-Unis; 2 décembre : assiste à une réunion politique organisée par Darquier de Pellepoix et *La France enchaînée.*

1939. Janvier : plainte en diffamation de Léon Treich contre *L'École des cadavres;* mai : en accord avec Céline, Robert Denoël retire de la vente *Bagatelles pour un massacre* et *L'École des cadavres;* 21 juin : condamné pour diffamation sur plainte du Dr Rouquès; juillet : en Bretagne; juillet-août : polémique avec les journaux qui l'accusent d'être impliqué dans l' « affaire Abetz » liée à l' « affaire Aubin-Poirier »; août : ouverture d'un cabinet médical à Saint-Germain-en-Laye; 9 novembre : réformé définitif n° 1 à 70 %, avec pension temporaire.

1940. Janvier : médecin civil à bord du *Chella,* collision en mer et débarquement à Gibraltar; août : exode jusqu'à La Rochelle et Saint-Jean-d'Angély.

1941. 13 février : publie, dans *La Gerbe,* « Acte de foi » qui sera suivi jusqu'en 1944 d'une trentaine de manifestations épistolaires diverses et de quatre interviews; 11 mai : assiste à l'inauguration de l'Institut d'étude des questions juives; juin : en Bretagne; août : à Fontainebleau; 4 décembre : interdiction des *Beaux draps* en Zone Non Occupée et saisies partielles à Marseille et Toulouse; 22 décembre : participe à la réunion pour la création du « Parti unique » organisée par *Au pilori.*

1942. *Guignol's band* est en cours de rédaction; 1er février : assiste au Vél'd'Hiv' au meeting tenu par Doriot à son retour du Front russe; début mars : voyage professionnel de cinq jours à Berlin, prend la parole dans un Foyer d'ouvriers français (sans doute du S.T.O.); 14 mars : signe le « Manifeste des Intellectuels français » contre les bombardements anglais sur Paris; juin : dîner au « Cercle Européen » (Paris); 20 décembre : fait une déclaration devant ses confrères médecins au siège du « Groupement Sanitaire Français » (Paris).

1943. 23 février : épouse Lucette Almanzor à la Mairie du XVIIIe; août-septembre : à Rennes et à Saint-Malo. Achève *Scandale aux Abysses* dont le projet date de 1938; rédige une préface pour un ouvrage, demeuré inédit, de Bernardini.

1944. Mise en chantier de *Guignol's band,* 2. *Scandale aux Abysses* est sur le point d'être imprimé. Mi-juin : départ pour l'Allemagne, séjour à Baden-Baden jusqu'à la fin juillet (coupé par un bref voyage à Berlin); août : arrivée à Neu-Ruppin; novembre : installation à Sigmaringen où il devient le médecin de la colonie française.

1945. 6 mars : quitte Sigmaringen pour le Danemark; 27 mars : arrivée à Copenhague; 19 avril : un mandat d'arrêt est lancé par le Juge d'Instruction de la Cour de justice de la Seine; été : paraît hésiter entre la poursuite de *Guignol's band*, 2 (2ᵉ état) et la mise en chantier de *La Bataille du Styx*; 18 décembre : arrestation à la suite de la demande d'extradition de la Légation française au Danemark et interruption de la rédaction de *Foudres et flèches*. Céline est incarcéré ce même jour.

1946. 6 novembre : rédaction d'un premier factum « Réponses aux accusations [...] ».

1947. 26 février : admis à l'hôpital de Copenhague; 20-21 mars : achève *Foudres et flèches*; après de nouvelles hésitations, *Guignol's band*, 2 est définitivement abandonné; juin : travaille au premier chapitre de *Féerie pour une autre fois*; 26 juin : admis à résidence surveillée à Copenhague; novembre : rédaction de *A l'agité du bocal*.

1948. 19 mai : installation à Klarskovgaard (près de Körsor) sur la mer Baltique.

1949. Fin novembre ou début décembre : rédaction d'un second factum « Réponse à l'exposé du Parquet de la Cour de justice »; 15 décembre : audience du procès Céline et renvoi *sine die*.

1950. 25 janvier : le Président de la Cour de justice fait placarder (au 98 rue Lepic) et publier la convocation de Céline; 21 février : condamnation par contumace à un an de prison et à la confiscation de ses biens à concurrence de la moitié — l'indignité nationale est prononcée.

1951. 26 avril : est amnistié; juillet : arrivée à Paris, signature d'un contrat avec les éditions Gallimard et séjour sur la Côte d'Azur; septembre : installation à Meudon (Seine-et-Oise); octobre : se jugeant diffamé dans le *Journal* de Jünger, Céline intente un procès aux éditions Julliard; décembre : la Cour de cassation remet en cause le bénéfice de l'amnistie.

1952-1960. Rédige et publie au fur et à mesure de leur achèvement *Féerie pour une autre fois*, 1 et 2, *Entretiens avec le Professeur Y* et les deux premiers volumes de sa trilogie historique; juin-octobre 1957 : violents remous provoqués par le lancement et le succès de *D'un château l'autre*; mai 1960 : la publication de *Nord* confirme ce retour de faveur.

1961. Mai : déclare ne pas penser « avoir terminé [*Rigodon*] avant deux ans »; 1ᵉʳ juillet : achève la première version; décès à 18 heures, la Presse n'en est pas informée; 4 juillet : inhumation au cimetière de Meudon.

BIBLIOGRAPHIE

I. Documentation générale.

1. Bibliographie :

Roux (D. de) et Argent (F. d'), « Essai de Bibliographie complète »,
in L.-F. Céline, Paris, L'Herne, 1972.
Dauphin (J.-P.), *Chronologie bibliographique et critique célinienne*, Université de Paris IV, 1973.
« Répertoire », *in L.-F. Céline 1*, Paris, Lettres Modernes, 1974.
« Répertoire », *in L.-F. Céline 2*, Paris, Lettres Modernes, à
paraître en 1976.

2. Biographie :

Bonnefoy (C.), *L.-F. Céline raconte sa jeunesse*, Liège, Dynamo, 1961.
Ducourneau (J.-A.), in *Œuvres de L.-F. Céline*, Paris, Balland, 1966-1969.
François (J.), *Contribution à l'étude des années rennaises du docteur
Destouches*, Faculté de Médecine de Rennes, 1967.
Gibault (F.), *L.-F. Céline*, Paris, Mercure de France, à paraître en
1976.
Godard (H.), in Céline, *Romans*, 2, Paris, Gallimard, 1974 (Coll.
« Bibliothèque de la Pléiade »).
Hindus (M.), *L.-F. Céline, tel que je l'ai connu*, Paris, L'Herne, 1969
(Coll. « Essais et philosophie »).
Mahé (H.), *La Brinquebale avec Céline*, Paris, La Table Ronde, 1969
(Coll. « Les Vies perpendiculaires »).
Mazet (P.-E.), *La Déformation du réel dans trois œuvres de Céline d'après
des documents inédits*, Paris IV, 1972.
Ostrovsky (E.), *Céline, le voyeur-voyant*, Paris, Buchet/Chastel, 1973.
Pedersen (H.), *Le Danemark a-t-il sauvé Céline?*, Paris, Plon, 1975.
Poulet (R.), *Mon ami Bardamu*, Paris, Plon, 1971.

3. Monographies :

Debrie-Panel (N.), *L.-F. Céline*, Lyon, Vitte, 1961 (Coll. « Singuliers et mal connus »).

HANREZ (M.), *Céline*, Paris, Gallimard, 1969 (Coll. « Pour une bibliothèque idéale »).

HAYMANN (D.), *L.-F. Céline*, New York, Columbia University Press, 1965 (Coll. « Columbia Essays on modern writters »).

McCARTHY (P.), *Céline*, London, Allen Lane, 1975.

RAGO (M.), *L.-F. Céline*, Firenze, La Nuova Italia, 1973 (Coll. « Il Castoro »).

THOMAS (M.), *L.-F. Céline*, London, Faber and Faber, à paraître en 1976.

VANDROMME (P.), *Céline*, Paris, Éd. Universitaires, 1963 (Coll. « Classiques du XXe siècle »).

II. Diffusion de l'œuvre imprimée.

A. Éditions originales :

1. *La Vie et l'œuvre de Ph. I. Semmelweis*, Rennes, Simon, 1924 (3 rééd. fr.; 5 éd. étr.).

2. *La Quinine en thérapeutique*, Paris, Doin, 1925 (1 rééd. fr.; 3 éd. étr.).

3. *Voyage au bout de la nuit*, Paris, Denoël & Steele, 1932 (10 rééd. fr.; 34 éd. étr.; disponible chez Gallimard en Pléiade, Soleil, blanche ou Folio).

4. *Qu'on s'explique*, Liège, A la lampe d'Aladin, 1933 (préoriginale *in Candide* du 16 mars 1933; 2 rééd. ou reprises fr.; 1 trad. étr.).

5. *L'Église*, Paris, Denoël & Steele, 1933 (Coll. « Loin des foules ») (2 rééd. fr.; 3 éd. étr.; disponible chez Gallimard en blanche).

6. *Mort à crédit*, Paris, Denoël & Steele, 1936 (10 rééd. fr.; 16 éd. étr.; disponible chez Gallimard en Pléiade, Soleil, blanche ou Folio).

7. « Hommage à Zola », *in* R. Denoël, *Apologie de Mort à crédit* : Paris, Denoël & Steele, 1936 (préoriginale *in Marianne* du 4 octobre 1933; 5 reprises fr.; 4 trad. étr.).

8. « Secrets dans l'île », *in Neuf et une*, Paris, Gallimard, 1936 (1 rééd. fr.).

9. *Mea culpa*, Paris, Denoël & Steele, 1936 (1 rééd. fr.; 4 éd. étr.).

10. *Bagatelles pour un massacre*, Paris, Denoël, 1937 (2 rééd. fr.; 3 éd. étr.; à la Bibliothèque nationale sous la cote : Rés.p.Z. 2160). *Nota :* contient les n°s 11, 12 & 13 (4 rééd. fr.).

11. « La Naissance d'une fée. »

12. « Voyou Paul. Brave Virginie. »

13. « Van Bagaden. »

14. *L'École des cadavres*, Paris, Denoël, 1938 (1 rééd. fr.; 1 éd. étr.; à la Bibliothèque nationale sous la cote : Rés.p.R.866).

15. *Les Beaux draps*, Paris, Nouvelles Éditions Françaises, 1941 (1 rééd. fr.; à la Bibliothèque de l'Arsenal sous la cote : 8° N.F. 81886).

16. *Guignol's band*, 1, Paris, Denoël, 1944 (5 rééd. fr.; 3 éd. étr.; disponible chez Gallimard en blanche ou Folio).

17. *A l'agité du bocal*, Paris, Lanauve de Tartas, [1948] (préoriginale *in* Albert Paraz, *Le Gala des vaches*, Paris, L'ÉLAN, 1948; 8 reprises fr., 1 trad. étr.).

18. *Foudres et flèches*, Paris, de Jonquières, 1948 (2 rééd. fr.).

19. *Casse-pipe*, Paris, Chambriand, 1949 (préoriginale, *in Les Cahiers de la Pléiade*, été 1948; 6 rééd. fr., disponible chez Gallimard en Soleil, blanche ou Folio).

Nota : l'état le plus complet est celui que donne l'édition Balland : *Œuvres de L.-F. Céline*, t. 2.

20. *Scandale aux Abysses*, Paris, Chambriand, 1950 (2 rééd. fr.).

21. *Féerie pour une autre fois*, 1, Paris, Gallimard, 1952 (Coll. « blanche ») (1 rééd. fr., disponible chez Gallimard).

22. *Féerie pour une autre fois*, 2. *Normance*, Paris, Gallimard, 1954 (Coll. « blanche ») (1 rééd. fr., disponible chez Gallimard).

23. *Entretiens avec le Professeur Y*, Paris, Gallimard, 1955 (préoriginale *in La N.R.F.* des 1er juin, 1er novembre, 1er décembre 1954, 1er février et 1er avril 1955; 1 rééd. fr., 1 éd. étr.).

Nota : version de l'adaptation scénique par Jean Rougerie, *in L'Avant Scène : * 15 avril 1976.

24. *D'un château l'autre*, Paris, Gallimard, 1957 (Coll. « blanche ») (4 rééd. fr., 5 éd. étr., disponible chez Gallimard en Pléiade, Soleil, blanche ou Folio).

25. *Vive l'Amnistie, Monsieur!*, Liège, Dynamo, 1963 (Coll. « Brimborions ») (préoriginale censurée *in Rivarol* du 11 juillet 1957, 4 reprises fr., 1 trad. étr., disponible dans *Les Cahiers de l'Herne*).

26. *Nord*, Paris, Gallimard, 1960 (Coll. « blanche ») [seule édition conforme au ms. original] (4 rééd. fr., 4 éd. étr., disponible chez Gallimard en Pléiade, Soleil ou blanche, et à la Librairie Générale Française dans Le Livre de poche).

27. *Guignol's band*, 2. *Le Pont de Londres*, Paris, Gallimard, 1964 (Coll. « blanche ») (3 rééd. fr., 1 éd. étr., disponible chez Gallimard en Soleil, blanche ou Folio).

28. « Carnet du Cuirassier Destouches », in *Casse-pipe*, Paris, Gallimard, 1970 (Coll. « blanche ») (préoriginale *in Les Cahiers de l'Herne*, n° 5, 1965; 4 rééd. ou reprises fr., disponible chez Gallimard en Soleil, blanche ou Folio).

29. *Rigodon*, Paris, Gallimard, 1969 (Coll. « blanche ») (2 rééd. fr., 2 éd. étr., disponible chez Gallimard en Pléiade, Soleil, blanche ou Folio).

B. Préfaces inédites à :

30. *Semmelweis*, Paris, Denoël & Steele, 1936.

31. *L'École des cadavres*, Paris, Denoël, 1942.

32. *Bezons à travers les âges* par Albert Serouille, Paris, Denoël, 1944 (Coll. « A la ronde du grand Paris »).

33. *Voyage au bout de la nuit*, [Paris], Éd. Froissart, 1949.

34. *Gargantua* et *Pantagruel*, Paris, Le Meilleur livre du mois, 1959.
35. *31, Cité d'Antin*, in Henri Mahé, *La Brinquebale avec Céline*, Paris, La Table ronde, 1969 (Coll. « Les Vies perpendiculaires ») (préoriginale *in Les Cahiers de l'Herne*, n° 3, 1963).

C. Rééditions collectives :

36. *Ballets sans musique, sans personne, sans rien*, Paris, Gallimard, 1959 (Contient les n°s 11, 12, 13, 18 et 20).
37. *Romans*, Paris, Gallimard, 1962 (Coll. « Bibliothèque de la Pléiade ») (contient les n°s 3 et 6).
38. *Œuvres de L.-F. Céline*, Paris, Balland, 1966-1969, 5 vol. (Contient, outre quelques textes complémentaires, l'ensemble de l'œuvre à l'exception des n°s 10, 14, 15, 25 et 28).
39. *L.-F. Céline*, Paris, L'Herne, 1972 (rééd. des n°s 3 et 5 des *Cahiers de l'Herne*) (première tentative de réunion de petits écrits et de correspondances).
40. *Romans, 2*, Paris, Gallimard, 1974 (Coll. « Bibliothèque de la Pléiade ») (contient les n°s 24, 26 et 29 suivis de « L.-F. Céline vous parle » et « Entretien avec A. Zbinden »).
41. *Céline et l'actualité littéraire*, Paris, Gallimard, 1976 (Coll. « Cahiers Céline ») (Réunion systématique de tous les petits écrits, déclarations et interviews entre 1932 et 1961).
42. *Écrits médicaux*, Paris, Gallimard, à paraître en 1976 (Coll. « Cahiers Céline ») (Réédition du n° 1 et des articles du Dr Destouches).

III. Documentation audio-visuelle.

A. Phonographie.

1. Enregistrements de Céline :
— « Le Règlement » et « Au nœud coulant », chansons interprétés par Céline; extraits de *Voyage* et *Mort à crédit* lus par M. Simon et Arletty : Disque Urania, 1956 (rééd. par Pacific en 1957 et par Vogue en 1968).
— Interview par P. Dumayet : R.T.F., 1re chaîne de télévision, 17 juillet 1957 (éd., *supra*, dans le n° 41).
— Interview par L.-A. Zbinden : Radio Suisse Romande, 25 juillet 1957 (rééd., *supra*, dans les n°s 40 et 41).
— Interview par G. Conchon : *Magazine phonographique*, 31 janvier 1958 (rééd. partielle, *id.*, 1er juin-30 septembre 1958) (éd., *supra*, dans le n° 41).
— Exposé de Céline; extraits de *Voyage* et *Mort à crédit* lus par P. Brasseur et Arletty : Disque Festival, 1958 (éd., *supra*, dans les n°s 40 et 41).
— Interview par L. Pauwels : R.T.F., 1re chaîne de télévision, 19 juin 1959 — non diffusée par le fait de la censure; des extraits en ont

été ultérieurement programmés, notamment les 8 mai 1969 et
30 avril 1973 (éd., *supra*, dans le n° 41).

2. Principales émissions consacrées à Céline :

CENTORE (D.), « De la nuit au petit matin », R.T.F., France III,
23 mai 1962.

CHAMBRILLON (P.), « L.-F. Céline romancier expérimental », R.T.F.,
France III, 19 juin 1963.

HARRIS et de SEDOUY, « Seize millions de jeunes », O.R.T.F., 2ᵉ chaîne
de télévision, 1ᵉʳ décembre 1965.

LAJOURNADE (J.-P.), « Céline parmi nous », *in* « Lire », O.R.T.F.,
2ᵉ chaîne de télévision, 18 février 1966.

BARBIER (P.), « Céline », *in* « La Tribune des critiques », O.R.T.F.,
France-Culture, 8 février 1967.

VINCENT-BRECHIGNAC (J.) et LE MARCHAND (J.), *in* « En question... »,
O.R.T.F., France-Culture, 17 mars 1969.

POLAC (M.), « D'un Céline l'autre », *in* « Bibliothèque de poche »,
O.R.T.F., 2ᵉ chaîne de télévision, 8 et 18 mai 1969.

BOURIN (A.), *in* « Ouvrez les guillemets », O.R.T.F., 1ʳᵉ chaîne de
télévision, 30 avril 1973.

B. Mises en scène.

L'Église.

— 2 décembre 1936, création au théâtre des Célestins à Lyon.

— 1967, adaptation italienne à Rome.

— 27 janvier 1973, reprise française au théâtre de la Plaine, puis au
théâtre des Mathurins à Paris.

— 13 octobre 1973, diffusion d'une version abrégée de la précédente
réalisée pour l'O.R.T.F., 3ᵉ chaîne de télévision.

Les Beaux draps.

— Novembre 1970, adaptation scénique à la Librairie-théâtre des
Anamorphoses à Paris.

Entretiens avec le professeur Y.

— 26 novembre 1975, adaptation scénique au théâtre Firmin-Gémier
à Antony. Reprises en février 1976 à Antony, puis en mars au
théâtre « Le Lucernaire » à Paris.

Semmelweis.

— Septembre 1975, adaptation anglaise par le *Oxford Theater Group*
dans le cadre du « Festival Fringe » à Edinburg.

IV. Aspects de la critique.

A. Dossiers de presse :

Articles recueillis dans *L'Herne* (rééd. de 1972) et par Jean
A. Ducourneau dans *Œuvres de L.-F. Céline*, 1 et 2, désignés ici
*HER, OE*1, *OE*2.

— sur *Voyage au bout de la nuit* : Altman, *OE*1, 777-80; Anisimov,

HER, 452-6; Anthelme, *OE*1, 788-90; Audiat, *OE*1, 800-1; Bernanos, *OE*1, 797-9; Bidou, *OE*1, 799; Bourdet, *OE*1, 811-2; Bourget-Pailleron, *OE*1, 801-3; P. Descaves, *OE*1, 780-4; E. Faure, *HER*, 438-42; Fernandez, *OE*1, 784-6; Fréville, *OE*1, 803-6; Jaloux, *OE*1, 793-7; Lapierre, *OE*1, 790-1; Lévy-Strauss, *OE*1, 806-9; Nizan, *HER*, 433; Plisnier, *OE*1, 788-90; de Régnier, *OE*1, 809-11; Rousseaux, *OE*1, 791-3; Schwob, *HER*, 436-7; Thibaudet, *OE*1, 812-[5]; Trotsky, *HER*, 434-5.

— sur *Mort à crédit* : Bourthoumieux, *OE*2, 759-[60]; Brasillach, *OE*2, 750-4; Châtelain-Tailhade, *OE*2, 742-3; Debû-Bridel, *OE*2, 748-50; Denoël, *HER*, 457-65; Dunan, *OE*2, 743-6; J. F., *OE*2, 754-7; Fernandez, *OE*2, 739-41; L'Homme qui lit, *OE*2, 733-4; R. Lalou, *OE*2, 736-7; Laloy, *OE*2, 741-2; Lapierre, *OE*2, 746-8; Le Cardonnel, *OE*2, 757-8; Marsan, *OE*2, 734-6; Sabord, *OE*2, 737-9.

— sur *Mea culpa* : Altman, *HER*, 195-6.

— sur *Bagatelles pour un massacre* : Gide, *HER*, 468-70; Mounier [en fait, J. Roy], *HER*, 466-7.

B. Études et travaux littéraires, stylistiques ou linguistiques :

ACCAME (G.), « Céline prophète de la décadence occidentale », pp. 281-4, *in HER*.

ALMÉRAS (Ph.), *L'Évolution du langage romanesque de L.-F. Céline*, University of California, 1971.

« L'Onomastique caricaturale de Céline », *Revue internationale d'onomastique*, juillet 1971, pp. 161-79.

« Nature et évolution de l'argot célinien », *Le Français moderne*, octobre 1972, pp. 325-34.

« Céline : L'Itinéraire d'une écriture », *P.M.L.A.*, octobre 1974, pp. 1090-8.

« Du sexe au texte avec arrêt raciste », pp. [81]-103, *in L.-F. Céline 1*, Paris, Lettres Modernes, 1974.

ANDREU (P.), « Un Modèle de Céline », *La Quinzaine littéraire*, 15 juillet 1966, pp. 11-2.

BEAUJOUR (M.), « La Quête du délire », suivie de « Temps et substance dans le *Voyage au bout de la nuit* », pp. 285-302, *in HER*.

CARILE (P.), *Céline oggi*, Roma, Bulzoni, 1974.

CELATI (G.), « Parlato come spettacolo », *Il Verri*, février 1968, pp. 80-8.

CHESNEAU (A.), « La Phrase de Céline dans ses rapports avec " l'écriture organique " », pp. 95-106 *in Problèmes de l'analyse textuelle* : Montréal, Didier, 1971.

La Langue sauvage de Céline, Université de Lille III, 1974.
« Vomir Céline », pp. [123]-52, *in L.-F. Céline 1*, Paris, Lettres Modernes, 1974.

CÔTÉ (J.), « Lyrismes d'invention et de situation », pp. [105]-22, *in L.-F. Céline 1*, Paris, Lettres Modernes, 1974.

DAY (Ph. S.), *Le Héros picaresque dans* Voyage au bout de la nuit *et* Mort à crédit *de L.-F. Céline*, Université de Toronto, 1963.

Le Miroir allégorique, Paris, Klincksieck, 1974.

« L'Esprit inventif de Céline : ses titres, ses noms de personnages et de lieux », *Bulletin de l'A.P.F.U.C.* : mai 1971, pp. 26-8.

DONLEY (M.-J.), « L'Identification cosmique », pp. 327-34, *in HER*.

EHL (G.), *Die Syntaktische Anomalie bei L.-F. Céline und ihre bedeutung als Stilmittel*, Université Philipps de Marburg-Lahn, [1950].

FEDERSPIEL (J.), « L.-F. Céline : Dichter des Hasses », *Die Weltwoche*, 13 janvier 1961, p. 19.

FERRIER (A.), « Céline au bout de la nuit », *France Observateur*, 6 juillet 1961, pp. 16-7.

FITCH (B.-T.), « Aspects de la structure de la phrase chez Bernanos et Céline », pp. [85]-100, *in Études Bernanosiennes 6*, Paris, Lettres Modernes, 1965.

FORTIER (P.-A.), *Concordance du* Voyage au bout de la nuit, University of Wisconsin, 1968.

« La Vision prophétique : un procédé stylistique célinien », pp. [41]-55, *in L.-F. Céline 1*, Paris, Lettres Modernes, 1974.

GANDON (Y.), *Cent ans de jargon ou de l'écriture artiste au style canaille*, Paris, Haumont, 1951.

GAUTIER (G.), *Étude des procédés expressifs de L.-F. Céline*, Université de Montréal, 1966.

GENESTRE (A.-D.), *Étude du vocabulaire des romans de L.-F. Céline*, Indiana University, 1968.

GODARD (H.), « Un Art poétique », pp. [7]-40, *in L.-F. Céline 1*, Paris, Lettres Modernes, 1974.

GUÉNOT (J.), *L.-F. Céline damné par l'écriture*, Paris, Diffusion M. P., 1973.

HANREZ (M.), « Céline prophète au long cours », *Les Lettres nouvelles*, septembre-octobre 1969, pp. 165-72.

HARDY (A.), « Rigodon », pp. 367-73, in *HER*.

HEIST (W.), « Versuch über Céline », *Die Neue Rundschau*, 1969, pp. 330-43.

HOLTUS (G.), *Untersuchungen zu Stil und Konzeption von Célines*, Voyage au bout de la nuit, Frankfurt/M., Peter Lang, 1972.

KRANCE (Ch.), *Terpsichore in the Night : Dance Patterns and Motifs in* Voyage au bout de la nuit, University of Wisconsin, 1970.

« Céline and the Literature of Extasis : the Virtuosity of " non-genre " », *Language and Style*, Summer 1973, pp. 176-84.

LA QUÉRIÈRE (Y. de), « Préparation d'un pastiche de Céline », *Teaching through Literature Language*, April 1974, pp. 25-39.

Céline et les mots, Lexington, University Press of Kentucky, 1974.

LAFFOREST (R. de), « Un Céline surréaliste », *Révolution nationale*, 29 avril 1944, p. 3.

LAFLÈCHE (G.), « Céline, d'une langue l'autre », *Études françaises*, février 1974, pp. [13]-40.

LASSERRE (J.), « Le Cri de Céline », *La Gerbe*, 27 avril 1944, p. 4.

LAVOINNE (Y.), *Voyage au bout de la nuit* de Céline, Paris, Hachette, 1974.

LICARI (A), « L'Effetto Céline », *Il Verri*, février 1968, pp. 33-41.

MAMBRINO (J.), « La Petite musique de Céline », *Les Études*, août-septembre 1973, pp. [217]-[37].

MANCEL (Y.), « De la sémiotique textuelle à la théorie du "roman" : Céline », *Dialectiques*, printemps 1975, pp. 45-68.

MORVAN (J.-B.), « Un Chasseur d'ombres, Céline », *La Nation française*, 12 juillet 1961, p. 12.

OLLIVIER (J.-C.), *Céline et le docteur Destouches*, Faculté de Médecine de Paris, 1970.

OSTROVSKY (E.), *Céline and his Vision*, New York, New York University Press, 1967.

PARAZ (A.), « Panorama de Céline. Notes et remarques », *L'Appel*, 20 avril 1944, p. 4.

PARIGAUX (M.), *L'Univers sensoriel de L.-F. Céline dans* Voyage au bout de la nuit *et* Mort à crédit, Faculté des Lettres de Paris, 1966.

[RACELLE-] LATIN (D.), « Le Prélude à *Mort à crédit* de L.-F. Céline », *L'Information littéraire*, mai-juin 1974, pp. 116-20.

RICHARD (J.-P.), *Nausée de Céline*, [Montpellier] Fata Morgana, 1973.

SCHILLING (G.), « Images et imagination de la mort dans le *Voyage au bout de la nuit* », *L'Information littéraire*, mars-avril 1971, pp. 68-75.
« Espace et angoisse dans *Voyage au bout de la nuit* », pp. [57]-80, *in L.-F. Céline 1*, Paris, Lettres Modernes, 1974.

SMITH (A.), « Céline et la notion de complot », *Études françaises*, mai 1971, pp. 145-61.
La Nuit de L.-F. Céline, Paris, Grasset, 1973.

SPITZER (L.), « Une Habitude de style, le rappel chez Céline », pp. 443-51, *in HER.*

THIHER (A.), *Céline : the Novel as Delirium*, New Brunswick, Rutgers University Press, 1973.

VITOUX (F.), *L.-F. Céline. Misère et parole*, Paris, Gallimard, 1973.

ZELTNER (G.), « L.-F. Céline ist am 2. Juli im Alter von 67 Jahren gestorben », *Neue Zürcher*, 8 Juli 1961.

C. Études et témoignages politiques ou idéologiques :

ALMÉRAS (Ph.), « Quatre lettres de L.-F. Céline aux journaux de l'Occupation », *French Review*, April 1971, pp. 831-8.
« Towards a third Reading of *Voyage au bout de la nuit* », *Rocky Mountain modern Language Association Bulletin*, March 1972, pp. 22-8.
« Céline : aux sources d'un système », *French Review*, October 1973, pp. 35-45.

« Du sexe au texte avec arrêt raciste », pp. [81]-103, *in L.-F. Céline 1*, Paris, Lettres Modernes, 1974.

ANDREU (P.), « Traditionalisme de Céline », *La Nation française*, 27 septembre 1961.

BOUQUINIER (Le), « Le Classicisme de Céline », *Le Cahier jaune*, février 1942, p. 22.

CHESNEAU (A.), *Essai de psychocritique de L.-F. Céline*, Paris, Lettres Modernes, 1971.

COUSTEAU (P. A.), « Mais relisez donc Céline! », *Je suis partout*, 4 avril 1944, p. 6.

DULAC (J.-L.), « Justice pour Céline », *Le Cri du peuple de Paris*, 31 octobre 1940, p. 2.

« Céline le visionnaire énorme et jmpavide », *Le Cri du peuple de Paris*, 23 janvier 1941, p. 2.

GAUCHER (A.), « Céline, le Génie Français et le Juif », *Au pilori*, 27 décembre 1940, p. 4; 3 janvier 1941, p. 4.

GUILLEMIN (H.), « Céline, vous connaissez? », *La Tribune de Genève*, 9 avril 1969.

HERVÉ (P.), « L.-F. Céline était agent de la Gestapo, *L'Humanité*, 21 janvier 1950, p. 4.

HOMME MASQUÉ (L'), « Le Cas Céline », *Révolution nationale*, 1er février 1942, p. 3.

JUDEX, « L'Affaire Céline », *Le Charivari*, août 1957, pp. 48-53.

KAMINSKY (H.-E.), *Céline en chemise brune ou le mal du présent*, Paris, Les Nouvelles Éditions Excelsior, 1938.

KNAPP (B. L.), *Céline : Man of Hate*, University (Alabama), The University of Alabama Press, 1974.

KUNNAS (T.), *Drieu La Rochelle, Céline, Brasillach et la tentation fasciste*, Paris, Les Sept couleurs, 1972.

LA FOUCHARDIÈRE (G. de), *Histoire d'un petit juif*, Paris, Aubier-Montaigne, 1938 (voir pp. 189-93).

LÁMOUR (Ph.), « Au seuil du cabanon M. Céline se noie dans son élément naturel », *Le Rouge et le Noir : 26 janvier 1938*, pp. [1]-2.

LIORET (A.), « Une Doctrine biologique », pp. 381-2, *in HER*.

MANDEL (A.), « D'un Céline Juif », pp. 386-91, *in HER*.

MORAND (J.), *Les Idées politiques de L.-F. Céline*, Paris, Pichon & Durand-Auzias, 1972.

MOSEL (J.), « Céline parmi nous... » *L'Arche*, juillet 1960, pp. 23-4.

NATHAN (J.-P.), « Un Juif a-t-il le droit de témoigner pour L.-F. Céline? », *La Terre retrouvée*, 1er février 1950, p. 10.

PAPPO (L.-M.), « A M. L.-F. Céline, histoire de rire », *La Patrie humaine*, 14 janvier 1938, p. 3.

POLIAKOV (L.), « Le cas L.-F. Céline et le cas X. Vallat », *Le Monde juif*, février 1950, pp. 5-7.

RABI, « Un ennemi de l'homme », pp. 400-4, *in HER*.

[Racelle-] Latin (D.), « L.-F. Céline et la psychocritique », *Revue des langues vivantes*, 1974, pp. 150-8.

Racelle-Latin (D.), « L.-F. Céline ou le malentendu idéologique », *Lettres romanes*, 1974, pp. 49-63.
Subversion et négativité dans le Voyage au bout de la nuit *de L.-F. Céline,* Université de Liège, 1976.

Richard (M.), « Maîtres manqués de la jeunesse », *Révolution nationale,* 24 décembre 1941, p. 3.

Roux (D. de), *La Mort de L.-F. Céline,* Paris, Bourgois, 1966.

Sampaix (L.), « Toujours la cagoule »; « Méthode Goebbels! » *L'Humanité,* 9 juillet 1939, pp. [1]-2; 10 juillet 1939, pp. [1]-2.

Serant (P.), *Le Romantisme fasciste,* Paris, Fasquelle, 1960.

Suckov (B.), « [L'Époque contemporaine et le réalisme] », *Znamja* [Moscou], n° 6, 1963, pp. 177-9.

Vandromme (P.), « L'Esprit des pamphlets », pp. 417-20, *in HER.*

Vanino (M.), *L'Affaire Céline. L'École d'un cadavre,* Paris, Éditions Créator, [1950].

Varangot (M.), *Anarchisme de l'écrivain et politique : Céline,* Fondation nationale des Sciences politiques, 1958.

[Zerapha (G.),] « Probité célinienne », *La Conscience des Juifs,* février-mars 1938, pp. 14-8.

Nota : Sont annoncés pour paraître en 1976 des articles ou des communications de : Ph. Alméras, J.-L. de Boissieu, P. Carile, A. Chesneau, Ph. S. Day, H. Godard, N. Hewitt, G. Holtus, Ch. Krance, E. Kummer, Y. de la Quérière, C. W. Nettelbeck, D. Racelle-Latin, A. Thiher et M. Thomas recueillis dans *Écriture et esthétique* (*L.-F. Céline 2 :* Paris, Lettres Modernes) et *Actes du Colloque d'Oxford (1975)* (in *Australian Journal of French Studies* [Clayton (Victoria)], tome XIII, n° 1).

TABLE DES MATIÈRES

Introduction   7
I. Une controverse passionnée (1932-1936)

Textes de André ROUSSEAUX   13
         René TRINTZIUS   19
         Léon DAUDET   21
         Paul BOURNIQUEL   26
         Georges BATAILLE   29
         Pierre AUDIAT   30
         Jean PRÉVOST   33
         René LALOU   37
         Pierre-Aimé TOUCHARD   40
         Émile HENRIOT   42
         Robert DENOËL & Pierre LANGERS   45
         Gabriel BRUNET   48
         Yanette DELÉTANG-TARDIF   53
         Paul NIZAN   55
         Pierre SCIZE   60

II. Une critique à contretemps (1936-1951)

Textes de Jean-Pierre MAXENCE   63
         Robert BRASILLACH   67
         Georges ZÉRAPHA   70
         René VINCENT   80
         Gonzague TRUC   83
         Henri GUILLEMIN   89
         Pierre DRIEU LA ROCHELLE   96
         Robert BRASILLACH   100
         René VINCENT   105
         Jacques de LESDAIN   108

III. Une nouvelle curiosité (1952-1969)

Textes de Maurice NADEAU   114
         Roger NIMIER   123

Table des matières

Robert POULET	127
René CHABBERT	132
Pascal PIA	136
Jacques GUYAUX	142
Jean-Louis BORY	144
Maurice NADEAU	147
André ROUSSEAUX	153
François NOURISSIER	159
Renaud MATIGNON	162
Yves BERTHERAT	164
Jacques VALMONT	167
Jean-Guy RENS	171
J. M. G. LE CLÉZIO	182
Mémento bio-bibliographique	185

ACHEVÉ D'IMPRIMER
PAR L'IMPRIMERIE FLOCH
A MAYENNE
LE 14 MAI 1976

Numéro d'éditeur : 1694.
Numéro d'imprimeur : 14159.
Dépôt légal : 2ᵉ trim. 1976.

Printed in France.

ISBN 2-7050-0032-1